A Lisa SICIGNANO

Bien Cordialement

[signature]

Les enfants, à table !

Comment transmettre à vos enfants
de bonnes habitudes alimentaires

Docteur Patrick Serog
En collaboration avec Sylvie Perez

Les enfants, à table !

Comment transmettre à vos enfants de bonnes habitudes alimentaires

Flammarion

ISBN : 978-2-0812-3262-4

À Françoise, ma muse.
À mes enfants, en espérant leur avoir transmis
le goût de transmettre.
À mes patients qui m'ont fait partager
leurs chemins de la transmission familiale.
À Thierry et Simone, pour leur soutien amical
depuis le début de notre aventure.

Prologue

Et si on s'écoutait un peu ?

À peine le nourrisson a-t-il poussé son premier cri qu'on lui trouve déjà le nez de son père, la joie de vivre de sa mère, l'appétit de son grand-père, la fibre artistique de sa tante.

Que transmet-on à nos enfants ? En matière de nutrition, la question est essentielle. Car, cela ne fait plus aucun doute, notre santé dépend pour beaucoup de la qualité de notre alimentation et de notre comportement alimentaire ; chez soi, à l'école, chez des amis, au restaurant. Se nourrir s'apprend. Il s'agit d'une richesse que nous transmettons à nos enfants.

Comment, quand et que transmettre ? Les impératifs semblent parfois si nombreux que l'on s'y perd. On ne sait plus par où commencer. On voudrait protéger les enfants de la menace d'obésité qui pèse sur nos sociétés occidentales, les mettre à l'abri des maladies cardio-vasculaires, du diabète et du cholestérol, leur concocter un régime anti-cancer et, en même temps, leur faire découvrir les richesses du terroir tout en les initiant aux gastronomies étrangères. Et puis, régulièrement, nous sommes paralysés par d'affreuses peurs alimentaires. Des alarmes retentissent pour nous mettre en garde contre les métaux lourds dans la chair des poissons, contre les prions de certains mammifères ou encore le bisphénol A contenu dans le plastique des biberons.

Qui veut faire au mieux pour son enfant se trouve rapidement submergé par des injonctions venant de partout. Il nous faut penser aux aliments riches en fibres pour éliminer les toxines, aux poissons gras pour leurs oméga 3, aux cinq fruits et légumes par jour pour leurs vitamines, au litre et demi d'eau afin de s'hydrater, au curcuma, aux brocolis et au thé vert... Apprendre aux enfants à manger « responsable », privilégier les produits bio, les sensibiliser aux vertus du commerce équitable et leur faire aimer le chocolat du Costa Rica. Proscrire de leur alimentation les soles et le thon rouge en voie d'extinction. Penser à limiter les aliments gras et sucrés. Se méfier des Organismes Génétiquement Modifiés. Par souci écologique, privilégier les « family packs », moins polluants, mais ne pas bouder les portions individuelles pour le soir où le petit prend son goûter à l'étude (pas question de renoncer à la vitamine C contenue dans sa brique de jus de fruit). Choisir des produits locaux comme le préconise le mouvement Slowfood, mais profiter aussi des enseignes de hard discount qui, par temps de crise, nous permettent de remplir nos placards pour nourrir suffisamment nos enfants... Bref, la totale ! Soyons réalistes même si tout cela était nécessaire : il est impossible de concilier toutes ces préoccupations.

Et si on s'écoutait un peu ?

En tant que médecin-nutritionniste, ma pratique clinique au fil de plus de 50 000 consultations m'a permis d'observer de près le comportement alimentaire de mes patients, de comprendre et de recenser les problèmes nutritionnels auxquels ils sont confrontés. Cette expérience m'a convaincu de l'importance de la transmission alimentaire parents-enfants. Pourquoi ? Parce qu'elle est le meilleur moyen d'améliorer l'alimentation des

Français et, sans aucun doute, l'outil le plus efficace pour prévenir ou corriger un certain nombre de maladies nutritionnelles. On ne peut laisser à d'autres le soin d'éduquer nos enfants. La dimension affective de la transmission est essentielle. Prenons le temps de partager nos émotions, réhabilitons le repas familial, cuisinons ensemble, préservons les traditions, d'autant que le modèle alimentaire français est l'un des plus sains au monde.

Dans la transmission alimentaire, ce que l'on reçoit, c'est un héritage multiple : des gènes du goût mais aussi des habitudes alimentaires, un art de vivre, un savoir-faire culinaire, une affinité avec certaines saveurs, une sorte d'identité gustative.

On ne sait pas expliquer par quels mécanismes la plupart des Strasbourgeois aiment la choucroute et la majorité des Toulousains le cassoulet. Pourquoi les Hongrois, généralement, apprécient-il le goulasch ? Parce que leur palais est physiologiquement programmé pour ressentir les joies du paprika ou tout simplement parce que ce plat leur rappelle l'époque bénie de leur enfance ?

La perception des saveurs précède la naissance. Les bourgeons gustatifs se forment chez le fœtus dès la septième semaine, avant les yeux, les oreilles ou les doigts. L'éveil du goût commence donc *in utero*. Dans le ventre de sa mère, le fœtus découvre déjà certaines saveurs, il apprend même à les reconnaître. Mais ce ne sont que les balbutiements d'un travail de longue haleine.

L'éducation du goût est un lent processus de sensibilisation de l'enfant au répertoire le plus vaste possible de saveurs, car une alimentation variée est le gage d'une alimentation saine. Certains enfants goûtent à tout, d'emblée, dès leur plus jeune âge. D'autres sont plus sélectifs et empruntent des chemins sinueux dans la découverte de mets nouveaux. Comment leur apprendre à manger équilibré ?

Les habitudes alimentaires, bonnes ou mauvaises, s'acquièrent avec le temps. Le milieu dans lequel l'enfant évolue, l'attention portée et le temps consacré aux repas, la tradition gastronomique familiale, les rituels propres au foyer, sont autant d'éléments qui influencent au premier chef les pratiques alimentaires d'un individu durant son enfance bien sûr, mais aussi plus tard, à l'âge adulte. Parents, ne tergiversez plus ! Transmettez votre propre culture alimentaire.

Transmettre est un acte à la fois naturel, mystérieux et complexe. « La transmission est inévitable, elle se transporte au corps à corps, elle se propage par les récits, par les images évoquées et la manière d'en parler », écrit Boris Cyrulnik dans son *Autobiographie d'un épouvantail*[1]. Il me semble que, pour l'alimentation, transmettre est une activité d'ordre émotionnel qui implique l'odorat, le toucher, le goût, la pensée.

Il y a ce que l'on transmet malgré soi, selon un processus irrépressible, naturel et impulsif. Je garde à l'esprit la vision d'un petit Toscan de quatre ans, en maillot de bain sur une plage italienne, debout sur une chaise en plastique, en train de manger avec les doigts des pennes à l'arrabiata qui, à moi-même, auraient paru bien trop relevées. Ici, la transmission s'apparente à l'atavisme. Ce petit Italien reproduit, avec délectation, le comportement de ses parents et de ses grands-parents. Un succès pour la transmission !

Puis, il y a ce que l'on décide de transmettre selon un programme raisonné et volontaire. Certains parents sont plus résolus que d'autres à habituer leurs enfants à une alimentation qu'ils estiment la meilleure pour eux, à leur inculquer de bons « réflexes nutritionnels » comme

---

1. Boris Cyrulnik, *Autobiographie d'un épouvantail*, Odile Jacob, 2008.

de manger des fruits et des légumes ou de prendre trois repas par jour.

La transmission alimentaire est une démarche hautement personnelle. Consciemment ou non, on transmet ce que l'on est, ce que l'on aime, éventuellement ce à quoi on aspire. Le champs est ouvert et le désir de transmettre est si fort que la réflexion en devient passionnante. Elle mérite que l'on s'y arrête.

La transmission alimentaire est un acte quotidien : pas question d'y échapper.

— Les enfants ! À table !

— Qu'est-ce qu'on mange ?

Ainsi recommence tous les soirs aux alentours de 20 heures le dialogue familial. À l'énoncé du menu équilibré élaboré avec amour, peu d'enfants sautent de joie, la majorité se renfrogne. Et c'est le point de départ de fastidieuses négociations ponctuées par d'ancestrales suppliques : « mange ta soupe », « mais goûte, au moins », « finis ton assiette », « allez, une dernière bouchée », « fais-moi plaisir ».

La tâche est ingrate. Les parents d'aujourd'hui évoluent dans un brouillard épais, s'escrimant à convaincre la petite classe de la saveur d'un navet, des délices d'un artichaut vinaigrette, du sublime d'un bœuf aux carottes, du piquant d'une omelette aux herbes, du raffinement des escargots à la bordelaise. Génération après génération, les adultes se tuent à réitérer les mêmes conseils à des enfants apparemment peu réceptifs qui, pendant qu'on leur parle petits pois frais, ciboulette et courgettes, pensent pizza, cheeseburger et croque-monsieur. Sans en saisir le sens, les enfants assistent à ce spectacle étonnant de leurs parents s'agitant sur des sujets étranges : ils disent qu'il faut manger à heure fixe, prendre une entrée, se tenir bien à table, ne pas claquer du bec à chaque bouchée... Pourquoi tant d'efforts ? À quoi bon ?

Aventure étrange et singulière que de transmettre l'art de se régaler. Inculque-t-on par l'exemple, par la répétition inlassable de principes intangibles, en suivant un chemin progressif balisé d'étapes identifiées, ou encore au gré des opportunités, sur un mode spontané et fantaisiste ?

Je suis convaincu que la transmission la plus sûre, c'est au fond celle qui vous ressemble. Plutôt que d'appliquer des règles générales d'inspiration hygiéniste, mieux vaut rester soi-même. L'objectif, c'est la santé de vos enfants. Bien manger, c'est prendre du plaisir, découvrir une culture, une histoire, une géographie. Ce sont des rituels qui s'installent, des petits bonheurs épars et, petit à petit, l'élargissement du répertoire alimentaire de l'enfant.

Il fut un temps où cette initiation sauvait des vies. Dans la France rurale d'autrefois, les aïeux apprenaient à leurs petits-enfants à reconnaître dans la nature les plantes comestibles et à se méfier des champignons vénéneux. L'apprentissage nutritionnel faisait partie de la culture locale et de l'identité de chacun.

Je veux affirmer ici que la mondialisation n'empêche pas la transmission alimentaire. La transmission n'est pas une forme de repli sur soi. « Seul celui qui possède des coutumes est capable de comprendre les coutumes d'un autre », disait le philosophe américain Josiah Royce. Demeurer au plus proche d'une culture culinaire familiale ne signifie pas se fermer au monde. Au contraire, celui qui a acquis un comportement alimentaire propre, hérité de sa famille, qu'elle soit unique ou recomposée de ses cultures régionales, est sans doute le plus apte à intégrer à son mode de vie des ingrédients nouveaux venus des quatre coins du monde.

La transmission alimentaire est un processus lent qui requiert de la patience, de l'autorité et beaucoup d'amour.

Mais comme c'est gratifiant lorsqu'on en recueille les fruits ! Cette transmission est une question culturelle ; c'est aussi une question de santé publique. Si chacun se préoccupe davantage de l'alimentation de ses enfants, les ministères chargés des campagnes de santé publique feront des économies et la sécurité sociale ne s'en portera que mieux.

Ce livre réunit conseils, suggestions, idées et recettes propices à l'éveil gustatif de vos enfants. Le bénéfice est multiple. L'alimentation a ceci de merveilleux qu'elle est à la fois un facteur d'identité, de santé, de plaisir et de convivialité. Qui dit mieux ?

PARTIE I

LES ÉTAPES DE LA VIE ET LA TRANSMISSION ALIMENTAIRE FAMILIALE

Chapitre 1

De zéro à trois ans : l'exploration du régime omnivore

Quand un bébé vient au monde, il prend sa première inspiration, ses poumons se déploient et il pousse un cri qui rassure son entourage. Bientôt, une autre exploration l'attend : il va découvrir le régime omnivore qui convient à son espèce. Plus de cordon ombilical par lequel recevoir les nutriments du placenta. Petit à petit, ses parents vont l'initier à toutes sortes d'aliments, guidés en cela par leurs coutumes alimentaires, le goût et l'âge de l'enfant ainsi que ses besoins physiologiques. En somme, les parents sont mus par un souci à la fois médical (l'enfant doit manger pour grandir et forcir) et culturel (il faut l'initier à une nourriture particulière et variée). C'est une façon de lui faire découvrir le monde qui l'entoure.

Allaitement ou lait artificiel ?

Pendant les premiers mois de son existence, le nouveau-né se nourrit exclusivement de lait. S'ouvre alors un débat, particulièrement passionnel ces temps-ci : faut-il allaiter ? Et, est-ce important dans la transmission alimentaire ? La polémique, qui dépasse le cadre médical, pêche ses arguments dans les vastes eaux sociologiques, féministes ou même écologiques. Je me contenterai, ici, d'aborder la question du strict point de vue de l'éveil gustatif de l'enfant.

Des expériences ont montré que les nouveau-nés qui n'ont pas été allaités sont attirés de façon équivalente par l'odeur du lait humain et par celle du lait artificiel. Le lait maternel, auquel ils n'ont jamais été exposés, est pour eux tout aussi évocateur que le lait en poudre qu'ils ont bu six fois par jour depuis leur naissance. Un peu comme si le nourrisson était capable de reconnaître le lait de son espèce.

On sait que la composition du lait maternel varie au cours de la lactation : il est par moments plus riche en lipides, en protéines ou en glucides. Ce sont des variations dont on ignore encore les mécanismes mais dont on suppose qu'elles répondent à un besoin physiologique de l'enfant. Le lait industrialisé, adapté aux besoins de l'enfant, est de composition stable mais moins subtil dans ses apports nutritifs. Surtout, il ne peut transmettre les anticorps qu'apporte le lait maternel.

Côté saveur, il est établi que le lait maternel change de goût en fonction de l'alimentation de la mère. Hormis certains aliments typés comme le chou, le fenouil ou les carottes, on ne sait pas exactement quelles sont les saveurs qui se transmettent dans le lait maternel. On ne sait pas non plus dans quelle mesure le goût du lait maternel influence les orientations gustatives du bébé mais l'étude de la formation du goût est en plein développement[1]. Une chose est sûre : sauf à varier les marques, le lait artificiel aura toujours le même goût. Biberon après biberon, il procurera au bébé la même sensation gustative.

---

1. Voir l'article « Diversification alimentaire de l'enfant », *Archives de Pédiatrie*, Vol. 17, Suppl. 5, Elsevier-Masson, décembre 2010.

En somme, le bébé nourri au sein est précocement exposé à une palette de saveurs plus large que celui nourri au biberon. Dès lors, la question se pose : au moment de la diversification alimentaire, l'enfant nourri au sein s'adaptera-t-il aux nouvelles saveurs qui lui seront proposées, plus facilement que l'enfant nourri au biberon ? Sera-t-il mieux préparé à la diversification que le bébé nourri au lait industriel qui aura été en contact avec un goût unique et monotone ? La transition alimentaire sera-t-elle moins brutale pour le bébé allaité ? On peut le penser, mais ce n'est, à ce jour, qu'une hypothèse.

Quant au lien nourricier mère-enfant, qui se tisse au fil des premiers mois et servira de tremplin aux diverses étapes de la transmission nutritionnelle, il semble aussi fort dans les deux cas. L'enfant alimenté au biberon, même s'il ne tète pas le sein, sent bien que c'est sa mère qui le nourrit. Et chacun sait que le « biberon-relais » administré par le père au milieu de la nuit est parfaitement accepté par le nourrisson et resserre le lien paternel.

En résumé, difficile de trancher ce débat. L'allaitement doit résulter du désir de la mère. Je n'aurai qu'un seul conseil : Mesdames, faites comme il vous plaira. D'autant que les laits industriels sont conçus avec le plus grand soin. Allaitement ou lait artificiel, dans un cas comme dans l'autre, votre enfant sera bien nourri.

Mais attention ! Une mère qui allaite doit soigner son alimentation. Celle-ci doit être régulière, équilibrée et variée, constituée de trois repas par jour, contenant chacun un plat principal, un laitage et un dessert. Ça n'est pas toujours facile car, avec un nouveau-né à la maison, les horaires changent et le rythme de vie est bousculé. La mère n'a souvent ni le loisir ni l'énergie nécessaires pour préparer de vrais repas. Elle aura d'autant plus de mal à cuisiner si elle est seule avec son bébé pendant que son compagnon travaille. Faites-vous aider par la famille : une grand-mère, une tante, une amie, une nounou prépareront des plats à l'avance. Pendant les deux premiers mois, le coup de main logistique est précieux, surtout s'il y a à la maison d'autres enfants en bas âge. Le risque est l'épuisement physique et psychologique.

Si la mère mange bien, l'allaitement est excellent pour l'enfant. Mieux vaut éviter les aliments à goût fort (chou-fleur, fenouil) dont la saveur est transmise dans le lait, qui risque alors d'être refusé par le bébé. Pour retrouver la forme, la viande rouge est très indiquée : après l'accouchement les femmes souffrent souvent de carences en fer ; or la viande rouge est l'aliment qui assure le meilleur apport en fer. Elle contient également de la vitamine B12 qui permet de lutter contre l'anémie. N'oubliez pas le calcium : on en perd beaucoup en allaitant. N'hésitez pas à manger un yaourt ou à boire un verre de lait l'après-midi – un verre d'eau minérale riche en calcium fera l'affaire pour celles qui n'aiment pas les laitages. Enfin, mieux vaut éviter les produits trop sucrés car les variations brutales de glycémie fatiguent beaucoup. Ce conseil s'adresse à double titre aux mères qui souffrent de diabète gestationnel après l'accouchement en attendant que le taux de sucre redevienne normal dans le sang.

La diversification alimentaire, ça commence quand ?

Une fois l'allaitement exclusif terminé, le bébé va découvrir une alimentation diversifiée. Peu à peu, les parents introduisent des aliments solides et liquides autres que le lait dans les repas du bébé. Mais attention, le lait demeure pour lui un aliment indispensable à sa croissance. N'oubliez pas de lui donner 500 ml de lait quotidiennement.

Quand doit-on commencer la diversification alimentaire ? Tous les pédiatres vous le diront : entre quatre et six mois[1]. Pour les parents les plus impatients, sachez que le bébé supportera mal l'introduction de nouveaux aliments avant l'âge de quatre mois ; pour les autres, attendez sereinement et pas de panique !

S'il existe un terrain allergique familial, les recommandations actuelles sont de diversifier l'alimentation entre quatre et six mois. Et le gluten doit être introduit pour tous les enfants entre le quatrième et le septième mois révolus afin de limiter pour les enfants prédisposés le risque de maladie cœliaque[2].

Étape par étape, le bébé s'ouvre au monde qui l'entoure. La diversification alimentaire est une véritable révolution pour son système digestif et immunitaire. Cependant, ce nouvel apport alimentaire est indispensable pour couvrir les besoins en fer, zinc et acides gras essentiels.

Votre bébé s'est habitué au lait, continuité naturelle de l'alimentation reçue dans le ventre de sa mère par la voie du cordon ombilical. Le lait contient protéines, glucides, lipides, vitamines et minéraux dont il est devenu familier. Au moment de la diversification, son tube digestif accueille de nouveaux éléments que son organisme devra reconnaître, découper, classer, agencer. C'est un boulot du diable !

L'histoire de la diversification alimentaire comporte biens des allers et retours quant à la question du moment le plus adéquat pour la débuter. Autrefois, l'allaitement pouvait durer jusqu'à quatre ans. En 1923, un pédiatre suédois rapporte que la diversification alimentaire dès six

---

1. Voir l'article « Diversification alimentaire de l'enfant », *Archives de Pédiatrie*, Vol. 17, Suppl. 5, Elsevier-Masson, décembre 2010. Et le livre très pratique et clair : Patrick Tounian et Françoise Sarrio, *Alimentation de l'enfant de 0 à 3 ans*, 2ᵉ éd., Elsevier-Masson, 2011.

2. La maladie cœliaque est une maladie auto-immune qui touche l'intestin grêle et qui est liée à l'intolérance au gluten.

mois améliore le développement en taille et en poids de l'enfant. Elle devient alors de plus en plus précoce, au point, dans les années 1960, de commencer souvent dès l'âge de trois mois.

Où en sommes-nous aujourd'hui ?

Faut-il le rappeler, cette diversification ne relève ni d'un dogme ni d'une idéologie : elle obéit à une réalité physiologique et doit suivre docilement l'évolution du système digestif et immunologique du bébé.

C'est la raison pour laquelle il faut s'en tenir au régime lacté exclusif au moins jusqu'à l'âge de quatre mois.

Même le yaourt qui comporte de nouveaux germes demande au bébé un effort d'adaptation. À un moment où il est occupé à constituer son génome bactérien (lequel se composera de rien moins que cent mille milliards de bactéries réparties en plus de cinq cents espèces différentes), il n'a pas besoin de perturbations ou de « surprises gastronomiques » qui vont lui compliquer la vie.

La diversification alimentaire sera donc progressive. Nourrir son enfant est un acte simple mais qui doit respecter des critères de qualité et de quantité spécifiques selon l'âge de l'enfant. Le pédiatre indiquera aux parents les étapes du changement de régime qui s'accordent avec le développement du bébé[1]. Je reçois encore dans mon cabinet de consultation des parents pressés que leur enfant grandisse. C'est une erreur. Il faut respecter le rythme du bébé, ne pas forcer la cadence, accepter le fait incontournable que les deux premières années sont les plus impersonnelles sur le plan de la transmission alimentaire. L'important pour les parents est de transmettre l'envie de goûter des mets nouveaux. Mais ce n'est pas pendant cette période que vous allez lui faire goûter vos plats préférés. Avant d'apporter à son enfant

---

1. Voir Le saviez-vous ? n° 2, p. 40 : *Chaque chose en son temps : quelques repères pour une bonne diversification alimentaire.*

ce que l'on aime, on lui donne ce dont il a besoin. Une seule règle : procéder pas à pas.

La diversification, un chemin progressif

Afin d'offrir un premier contact avec de nouvelles saveurs, on peut, dès quatre mois, utiliser du bouillon de légumes à la place de l'eau pour diluer le lait en poudre. C'est une recette ancestrale éprouvée. Le goût change et le palais s'éveille.

Après quoi, quelques repères jalonnent la découverte du régime omnivore. À partir du quatrième mois, on peut introduire céréales et féculents comme les pommes de terre en purée ou du riz et du maïs mixés. Les légumes sont proposés sous forme de purée très lisse. Carottes, petits pois, épinards, haricots verts, courgettes et potiron pour commencer, puis, à partir du sixième mois, poireaux, brocolis, tomates, et enfin, choux, navets, poivrons et aubergines. L'enfant supporte bien les fruits cuits ou très mûrs. Privilégiez les saveurs les plus douces. Pêches et abricots sont d'excellentes sources de bêta-carotène ; la banane apporte glucides et potassium ; poires, coings et pruneaux, riches en fibres, facilitent le transit intestinal. Pour les baies et les agrumes, on attendra six ou sept mois et un an et demi pour les légumes secs (pois chiches, haricots rouges). Ils représentent une excellente source d'énergie mais sont difficiles à digérer.

Comment faire en pratique ?
Il est souhaitable de faire découvrir à l'enfant les légumes un par un de façon à l'aider à les reconnaître. Lorsqu'on mélange plusieurs légumes en purée (épinards/carottes, courgettes/pommes de terre, etc.), l'enfant a du mal à les identifier. Goûter les légumes

l'un après l'autre lui permet de se constituer des repères et des références gustatives. C'est pourquoi, aujourd'hui, les industriels proposent, au rayon petite enfance, des assiettes compartimentées afin de ne pas mélanger les ingrédients.

Dans les purées, on peut ajouter un petit peu d'huile de colza ou de tournesol (l'une ou l'autre, en alternance) qui apportent des acides gras essentiels que le corps ne fabrique pas, comme l'acide linoléique et l'acide alpha-linolénique. L'enfant en a besoin pour produire d'autres substances ayant un rôle important, par exemple, dans la coagulation sanguine et la régulation de l'immunité. Il s'agit de deux acides gras que notre corps n'est pas capable de fabriquer. L'enfant en a besoin pour produire d'autres substances ayant un rôle important par exemple dans la coagulation sanguine et la régulation de l'immunité. C'est la raison pour laquelle les laits maternisés sont supplémentés en acides linoléiques et alpha-linolénique.

Pour le goût, vous pouvez ajouter de temps en temps un peu de beurre. Utilisez de l'huile d'olive pour son goût et pour ses acides gras mono-insaturés – nécessaires au bébé pendant cette période de synthèse cellulaire très active, dans la mesure où ils contribuent à structurer les membranes des cellules – et aussi pour ses polyphénols aux vertus antioxydantes. Comme chacun sait, l'oxydation provoque le vieillissement. C'est ainsi : tout juste né, nous devons déjà nous préoccuper de ralentir notre vieillissement !

Viandes et poissons peuvent être introduits dès cinq mois sous forme d'aliments mixés et en toute petite quantité. Il faut être vigilant sur les apports protéiques car on ne connaît pas bien les conséquences sur la corpulence de nos enfants d'apports importants de protéines dès le plus jeune âge. Il s'agit de ne pas dépasser 10 g par jour, soit deux cuillerées à café, jusqu'à la fin du huitième mois. À partir du neuvième mois, on peut proposer de la viande hachée à raison de 20 g par jour, soit quatre cuillerées à café. À partir de la deuxième année et jusqu'à la fin de la troisième année, la quantité de viande ou de poisson s'élève à 30 g par jour, soit six cuillerées à café. Introduisez seulement un type de viande ou de poisson par jour afin de ne pas brouiller les saveurs. Laissez le temps à l'enfant de reconnaître le goût du poulet et de le différencier de celui de l'agneau ou du saumon. Porc, veau, bœuf, volaille, vous pouvez varier les plaisirs, proposer goûts et textures différents. La teneur des viandes en matières grasses importe peu à cet âge-là. Le bébé a bien besoin de lipides pendant cette phase de croissance rapide. La viande rouge est la meilleure source de fer. Les volailles et les viandes blanches en contiennent un peu moins. Tous les poissons sont bons et en particulier le saumon qui apporte des oméga 3, excellents pour le développement cérébral.

L'introduction des œufs se fait au sixième mois avec un quart d'œuf dur et cela jusqu'à la fin du huitième mois. Du neuvième mois à un an, on peut donner un tiers d'œuf par jour. On peut râper un peu d'œuf dur sur une purée. La purée mimosa aura des allures de plat « bistrot » plutôt joli ! De deux à trois ans, l'enfant peut manger jusqu'à un demi-œuf par jour. Excellente source de protéines, l'œuf remplace sans problème la viande ou le poisson.

Les produits laitiers tels que le yaourt ou le fromage blanc nature entrent dans le régime de l'enfant de six mois. À partir de huit mois-un an, on peut lui proposer toutes sortes de fromages en commençant par les pâtes cuites de type gruyère ou emmental pour leur teneur élevée en calcium. Les produits du terroir entrent peu à peu, en petite quantité, dans l'alimentation de l'enfant. Mais attention, assurez-vous de ne jamais donner de fromages au lait cru : ils peuvent contenir des germes pathogènes. N'utilisez que des fromages pasteurisés.

Pas de sel, au moins jusqu'à la deuxième année. Toutes les préparations industrielles pour enfants en bas âge en sont exemptes. N'en ajoutez pas même si vous trouvez que c'est fade.

Les produits sucrés, biscuits, bonbons, crèmes dessert, desserts lactés, chocolat, boissons sucrées, confiture, miel, ne sont pas une priorité. Les petits ont tout le temps de découvrir ces gourmandises. Ils les apprécieront d'emblée. Inutile de commencer trop tôt.

Voilà pour les grandes lignes de la diversification alimentaire. Elles organisent les premiers contacts de l'enfant avec le régime omnivore. Cette découverte de saveurs jusque-là inconnues s'accompagne de l'exploration de nouvelles consistances.

Mâchons, mâchons !

Le passage à l'alimentation solide est une étape importante.

À partir du septième mois, et très progressivement, les purées sont de moins en moins lisses. Durant le huitième mois, l'enfant va apprendre à mâcher. Les aliments ne sont plus mixés mais écrasés puis coupés en minuscules morceaux. L'introduction du pain et de produits céréaliers tels que les pâtes fines (vermicelles ou pâtes alphabet), la semoule ou le riz, commence au huitième mois avec des quantités qui varient en fonction de l'appétit de l'enfant. L'intérêt des féculents est d'augmenter la quantité de calories, donc l'apport énergétique, et de calmer la faim. Dès huit mois, l'enfant est également en mesure de croquer des morceaux de fruits crus et de manger de vrais bouts de viande.

Durant cette phase, il apprend à mastiquer, processus essentiel de la digestion. Mâcher les aliments permet d'allonger le temps du repas, ce qui est excellent. Et manger plus lentement apporte une meilleure sensation de satiété. La satiété est la capacité de pouvoir attendre le repas suivant sans avoir faim. Mâcher stimule aussi la production de salive, premier acteur de la digestion. Pendant que nous mâchons, les aliments s'imprègnent d'enzymes sécrétées par nos glandes salivaires qui préparent le bol alimentaire (les aliments que nous mangeons) pour la suite de la digestion.

La salive est complexe. Elle contient de l'eau, des électrolytes, des mucines (éléments qui préparent la digestion) et des produits antibactériens. Sa sécrétion contribue à la perception du goût en solubilisant les produits ingérés, ce qui en diffuse les saveurs. Les mucines (muccopolysaccharides et glycoprotéines) lubrifient le bol alimentaire et facilitent la déglutition des aliments le long de l'œsophage jusqu'à l'estomac. Enfin, les propriétés antiseptiques de la salive préviennent les infections de la bouche comme les caries.

Or plus l'enfant mastique, plus il salive, ce qui est recherché. Seulement, depuis des milliers d'années, les aliments ne cessent de se ramollir. Ils perdent en texture et en fibres. Le pain, il y a cent ans, était autrement plus dur que celui d'aujourd'hui. Au Moyen Âge, il servait même d'assiettes que l'on appelait « tranchoirs ». L'omnivore contemporain que nous sommes devenus se nourrit d'aliments mous, plus rapides à ingérer. Cette évolution des textures, outre ses effets négatifs sur notre digestion, a des répercussions morphologiques évidentes : les mâchoires de nos ancêtres étaient bien plus développées que les nôtres, surtout chez les hommes. Les visages, taillés à la hache, étaient équipés de puissants maxillaires. Il y avait des « gueules », parce que les gens mâchaient. Aujourd'hui, les mâchoires ont rapetissé et les visages sont fins car plus personne ne mâche. Or, celui qui mâche moins avale plus vite et mange davantage ! Son cerveau n'a plus le temps de recevoir le signal de rassasiement indispensable pour éprouver une sensation de satiété. En somme, et pour forcer un peu le trait, en oubliant de mâcher, nous préparons une société d'obèses au visage fin ! Est-ce souhaitable ?

Voilà pourquoi il me semble essentiel que les parents apprennent à leurs enfants, dès leur plus jeune âge, à mastiquer. La mastication est vraiment une affaire d'éducation. Les parents qui avalent leur repas à toute vitesse digèrent souvent mal et ne montrent pas le bon exemple. Pensez à ne pas précipiter le temps du repas. Imprimez un rythme lent. En mangeant avec votre enfant, montrez-lui comment il faut mâcher chaque bouchée pour broyer correctement sa nourriture. Pour chaque bouchée, comptez sur vos doigts jusqu'à cinq avant d'avaler. Faites-en un jeu au moment de la diversification alimentaire. En même temps que le petit découvre de nouvelles saveurs, apprenez-lui à réagir aux nouvelles textures. Pour découvrir ces textures, il utilisera ses doigts, touchant avec plaisir les nouveaux aliments qu'il portera à sa bouche. Habituez-le, tout petit, à mastiquer. C'est à cet âge-là que les enfants imitent ce qu'ils observent.

Néophobie et sélectivité

Vers l'âge de deux ou trois ans, il arrive que les choses se corsent. La transmission nutritionnelle se complique parfois au moment du passage de la petite enfance à l'enfance. À partir de deux ans, l'enfant, qui jusque-là acceptait volontiers d'élargir son répertoire alimentaire, peut subitement manifester deux types de comportements surprenants : la néophobie et la sélectivité. La néophobie alimentaire consiste en un rejet systématique et répété des nouveaux aliments qui lui sont proposés, quoi que l'on dise ou fasse. L'enfant refuse de goûter ce qu'il ne connaît pas. La sélectivité, elle, consiste à n'accepter que de petites quantités de chaque chose.

Dans les faits, 50 % des enfants de plus de vingt-quatre mois sont néophobes ou sélectifs. La néophobie est en général plus tardive et n'apparaît que vers l'âge de quatre ou cinq ans. Dans certains cas, rares, elle peut persister jusqu'à huit ans voire se prolonger jusqu'à l'âge adulte.

Cette étape déstabilise les parents. L'inquiétude est légitime. La néophobie peut influer sur la variété de l'alimentation de l'enfant qui se borne à une nourriture monotone et a tendance à refuser les aliments de bonne qualité nutritionnelle, fruits et légumes notamment. Quant à la sélectivité, elle peut faire courir à l'enfant le risque de ne pas manger suffisamment. Face à ce type de comportement, les parents oscillent entre deux attitudes également excessives : soit une conduite trop permissive (« ce n'est pas grave chéri, laisse si tu n'aimes pas »), soit une conduite autoritaire (« tu ne sortiras pas de table tant que tu n'auras pas fini ton assiette »). Les raisons de cette néophobie étant encore floues, les pratiques mises en place pour y répondre tâtonnent. L'idée générale est qu'il faudra s'armer de patience pour réagir avec doigté. Peu d'études sont en cours dans ce domaine. Saluons celle du professeur Nathalie Rigal, docteur en psychologie et spécialiste du goût chez l'enfant, soutenue par la fondation Nestlé France, qui vise à éclairer les parents sur ce sujet et devrait se révéler riche en enseignements.

On a longtemps interprété la néophobie comme un caprice de l'enfant. Or, on sait aujourd'hui que les enfants hyper-réactifs sur le plan sensoriel supportent difficilement certaines saveurs. Ils ressentent une sorte de dégoût comparable à celui que peut éprouver une femme enceinte devant certains aliments.

Quatre hypothèses sont émises pour tenter d'expliquer cette néophobie :

1. Elle serait une façon pour l'enfant de manifester une opposition à ses parents. À deux ans, il entre dans « la période du non ». Il n'y a pas de raison pour que cette attitude ne s'applique pas aux repas. Cela ne durera pas éternellement. Ce comportement n'est pas nécessairement le signe d'une hostilité, il exprime plutôt la recherche d'un dialogue. Les refus soudains sont une façon de nourrir la relation avec les parents, de la tester aussi. L'enfant dit non aux haricots verts de la même façon qu'il fait tomber les objets posés sur sa table : pour provoquer une réaction.

2. La néophobie peut être la manifestation d'une quête de sécurité. Le petit est rassuré par les aliments qui lui sont familiers. Il n'a pas envie d'être aventureux. Certes, cela complique l'élaboration des menus familiaux, mais mieux vaut le laisser évoluer à son rythme, c'est-à-dire un peu plus lentement que les autres, que de le braquer en le forçant à manger ce qu'il n'aime pas, au risque de le dégoûter. Il faut juste surveiller la qualité de son alimentation. Il a tout le temps de découvrir de nouvelles saveurs, du moment qu'il est correctement nourri, et que, grâce aux quelques aliments qu'il apprécie, il dispose des apports nécessaires à sa croissance et à son développement. Il découvrira certains fruits, fromages ou légumes un peu plus tard. Il goûtera au bonheur d'un artichaut vinaigrette ou à la délicatesse des asperges sauce mousseline quand il sera plus grand. Et après tout, quelle importance ! On peut bien remplacer le roquefort par du Kiri : côté calcium, on s'y retrouve.

3. À partir de deux ans, l'enfant, plus autonome, commence à s'interroger sur ses actes et ses choix et, en toute logique, sur les produits qu'il consomme. Lui, qui jusque-là ne faisait qu'ouvrir le bec devant une cuillère, a désormais son mot à dire sur le contenu de la cuillère.

Il devient un partenaire actif dans la transmission nutritionnelle. Il est en train de forger son identité gustative. En même temps qu'il refuse catégoriquement certains aliments, il s'en approprie d'autres. Il se crée un répertoire.

4. La néophobie pourrait enfin refléter une confusion chez l'enfant qui, submergé par la nouveauté, met le holà. L'enfant de deux ans mémorise ses expériences. Il comprend qu'il y en a de bonnes et de mauvaises. Il fait la part des choses et, en toute logique, essaie d'éviter les mauvaises surprises. En un mot, il se méfie. Au fond, c'est naturel. Imaginez-vous parachuté dans un pays inconnu parfaitement exotique où l'on remplirait votre assiette d'une somme d'aliments étranges dont vous ne connaissez ni le nom, ni l'apparence, ni la forme, ni le goût. Vous avanceriez à pas comptés. On hésite toujours avant de faire le grand saut. La néophobie s'exprime quand l'enfant a le sentiment que tout est nouveau tout le temps. Ça va trop vite pour lui, alors il refuse tout en bloc. Il n'y a pas plus conservateur qu'un enfant. Ils ont besoin de temps pour intégrer les nouveautés. Si le vôtre a aimé la purée de pommes de terre, ne lui servez pas, deux jours plus tard, la même purée mélangée à du céleri-rave, sans quoi il aura l'impression qu'on l'a trompé. Non seulement il refusera le mélange pomme de terre/céleri, mais en plus il développera une suspicion envers la pomme de terre sous toutes ses formes, aliment qu'il était pourtant prêt à apprécier. De la même façon, s'il a aimé les champignons de Paris cuits, ne les lui proposez pas en salade le lendemain. Il se pourrait qu'il n'aime pas ça. Cela porte le même nom, or une fois c'est bon, le lendemain, ça ne l'est pas... Un même produit présenté sous des formes différentes peut engendrer une confusion qui ébranle la confiance de l'enfant. Laissez-lui le temps d'apprécier plusieurs fois les heureuses découvertes. Ralentissez le rythme de la diversification sans quoi il risque de se braquer.

Quelle que soit l'explication de la néophobie à laquelle vous êtes confrontés, la seule réponse efficace est la patience. Toutes les études sur le sujet montrent qu'il n'y a ni solution miracle, ni remède immédiat. Mais rien ne serait pire que le renoncement. Surtout, ne baissez pas les bras ! Il est indispensable de continuer à proposer des aliments nouveaux, quitte à essuyer refus sur refus. Certains enfants ont besoin qu'on les force un peu, ou tout au moins, qu'on insiste. Ils sont moins audacieux et n'iront pas d'eux-mêmes vers l'inconnu. C'est un peu comme lorsqu'on apprend à plonger. Tout le monde n'a pas spontanément l'idée ni l'envie de se jeter dans l'eau la tête la première. Dans le domaine alimentaire aussi, l'enfant a besoin de l'impulsion et des encouragements parentaux.

La seule difficulté à ce stade, pour les parents, est de tenir bon et avec le sourire ! Pour que l'enfant finisse par accepter un nouvel aliment, il faut le proposer, inlassablement, une fois, deux fois, trois fois, dix fois, quinze fois. Les études montrent que le plus souvent, ce n'est qu'à la quinzième tentative que l'aliment entre enfin dans le répertoire alimentaire de l'enfant. C'est fastidieux, mais le résultat est garanti. Donc ne perdez pas courage ! Autre astuce pour sortir de l'ornière : élargir le vocabulaire de l'enfant. Il est bon de quitter la dichotomie primaire du « j'aime/j'aime pas ». On peut lui apprendre une foule d'autres commentaires gustatifs : « c'est piquant », « c'est amer », « c'est fade », « c'est mou », « ça a une drôle d'odeur », etc. Si l'on ne transmet pas le vocabulaire culinaire en France, alors de quoi parle-t-on ?!

Dès quatre-cinq ans, pour amener votre bambin à accepter de nouveaux aliments, vous pouvez aussi, l'associer à l'observation de ses propres progrès. Sur une feuille, jour après jour, notez avec lui l'évolution de ses goûts sur une échelle de 0 à 10. C'est une échelle analogique du plaisir. « 0 » pour les aliments qu'il exècre, « 10 » pour ceux qu'il adore. À chaque nouvelle tentative, l'enfant décerne une note à l'aliment. Présentez-lui une quinzaine de fois, sur une période de trois mois, les mêmes aliments qu'il n'a pas aimés au départ. Pour certains d'entre eux, son aversion va se confirmer, pour d'autres, il aura la surprise de constater que son goût évolue et en retirera même une certaine fierté. Cette méthode peut se révéler très efficace ! C'est un moment de jeu partagé avec votre enfant. La sensation de progrès peut lui redonner confiance et l'ouvrir à d'autres expériences gustatives. Pour l'accompagner, vous pouvez faire vous-même un tableau de l'évolution de vos goûts, afin de lui montrer qu'il est légitime d'apprécier certains aliments et d'autres moins, et qu'on peut changer d'avis. Enfin, cette approche développera l'intérêt de votre enfant pour ce qu'il mange.

À table, chaque nouvel aliment se doit d'être proposé à la famille dans son ensemble et non uniquement à l'enfant, sans quoi le repas familial risque de tourner à la négociation et c'est pénible pour tout le monde. Posez le plat sur la table. L'enfant qui n'aime pas devra y goûter tout de même. Une lichette, pas plus. Il y goûtera plusieurs fois, réussira à en manger une bouchée, jusqu'au jour où il se servira normalement, comme tout le monde autour de la table.

Prévoir des menus spéciaux pour un enfant difficile n'est pas souhaitable et renforce la néophobie. A contrario, la présentation répétée de l'aliment au cours du temps aide l'enfant à lutter contre son rejet. Nous trouverons peut-être dans l'avenir d'autres méthodes plus valorisantes pour les parents mais, pour l'heure, celle-ci est efficace. Si vous vous adaptez au goût de l'enfant néophobe et élaborez les menus en fonction de ses choix, il n'a aucune chance d'élargir le spectre de ses découvertes. Certains parents s'inquiètent : « À force de lui servir des plats qu'il n'aime pas, il ne mange rien. Je préfère qu'il avale un hot-dog plutôt que de le voir jeûner ! » Cette inquiétude est légitime. Néanmoins, si vous craignez que votre enfant ne mange pas suffisamment à table, mieux vaut lui proposer un verre de lait ou un fromage en fin de repas. Évitez de lui préparer un menu spécial ! Le repas familial est un repère essentiel dans la transmission alimentaire et qui dit repas familial dit menu commun !

Deux mots d'ordre, donc : persévérance et détermination. Ne perdez pas courage et surtout évitez les tensions. Rien ne sert de dramatiser. Il est évident qu'un jeune enfant sous pression a tendance à se fermer. L'idée n'est pas de transformer l'heure du repas en conflit familial. Vous en goûterez les charmes à l'adolescence. Pourtant, il n'est pas toujours facile de garder son calme face à un enfant renfrogné. La période de néophobie est un moment que les parents vivent parfois mal et qui crée au sein des familles des nœuds d'irritation terribles. Le « non » systématique est horripilant. La résistance de l'enfant a vite fait de gâcher l'élan maternel et paternel de transmission. La bonne humeur s'évapore instantanément. Pourtant, la lumière est au bout du chemin ! On peut s'accommoder d'une période de néophobie. Il faut garder à l'esprit que cela ne durera pas éternellement et ne mettra pas en péril le processus de transmission futur. Peu à peu, au moment où l'on s'y attend le moins, les situations se débloquent. Il en est de l'apprentissage alimentaire comme de l'éducation en général : c'est long, c'est ingrat mais, quand les efforts aboutissent, quelle fierté pour les parents et quel cadeau pour l'enfant !

LE SAVIEZ-VOUS ?

1 : Elfe[1] : une mine d'informations pour nos enfants

Cette étude à grande échelle, menée sous la direction du docteur Marie-Aline Charles, médecin épidémiologiste à l'Inserm, a pour ambition de suivre 20 000 enfants de la naissance à l'âge adulte. Plus de soixante équipes de recherche de tous horizons vont pouvoir observer le développement de ces enfants pendant vingt ans. Nés en 2011, ils sont issus d'environnements familiaux, économiques et culturels variés. Tous les aspects de leur existence seront explorés afin d'évaluer l'influence de leur environnement sur leur développement physique et psychologique. Le projet propose, entre autres, d'analyser les effets de l'alimentation sur la croissance et la santé de l'enfant. Les chercheurs se pencheront notamment sur l'impact des apports nutritionnels et du processus de « socialisation alimentaire » par lequel l'enfant tend à s'adapter aux modes alimentaires du groupe socioculturel dont il est issu. La première année d'observation est centrée sur l'alimentation périnatale (de la fin de la grossesse aux premiers jours du bébé), l'allaitement, le sevrage et les modes de diversification alimentaire. Une attention particulière sera portée, tout au long de l'étude Elfe, au lien entre alimentation, hygiène de vie et évolution pondérale, afin de prévenir les risques d'obésité.

Pour plus d'informations, vous pouvez vous reporter au site : www.elfe-france.fr

---

1. Elfe : Étude Longitudinale Française depuis l'Enfance.

39

2 : Chaque chose en son temps : quelques repères pour une bonne diversification alimentaire

Les aliments sont classés par ordre alphabétique.

Abats : à partir de 5 mois (très riches en protéines et en fer)

Barres de céréales : pas avant 4 ans

Biscottes : à partir de 3 ans

Céréales infantiles : à partir de 4 mois

Céréales de type corn flakes : à partir d'1 an

Charcuteries (hors jambon) : à partir de 2 ans

Chocolat : à partir de 18 mois

Crèmes dessert : à partir de 3 ans

Crudités : à partir de 18 mois

Frites : à partir d'1 an

Fromages à pâtes dures (comté, emmental) : à partir de 8 mois

Cancoillotte pasteurisée (c'est un excellent fromage qui contient très peu de matières grasses), mozzarella pasteurisée, Vache qui rit, Babybel, Kiri, P'tit Louis : à partir de 7 mois

Fromages gras (roquefort, double-crème, reblochon, bleu) : vers 8 mois

Fromages au lait cru (camembert, vacherin, brie, coulommiers, saint-marcellin) : pas avant 1 an

Fruits écrasés, compotes et petits pots : à partir de 4 mois, sauf fraises (6 mois)

Fruits secs (pruneaux, figues, dattes, abricots secs) : à partir de 2 ans

Fruits oléagineux (noix, noisettes, amandes, cacahuètes) : pas avant 5 ans

Glaces et sorbets, gâteaux : à partir de 2 ans

Jus de fruits : à partir de 4 mois

Légumes frais ou surgelés sans nitrates : à partir de 4 mois, sauf betterave rouge (5 mois), chou-fleur (1 an), chou, salsifis, topinambours, oseille (18 mois)

Légumes secs (lentilles, pois, haricots blancs) · à partir de 15 mois

Légumes en conserves : à partir d'1 an

Matières grasses : à partir de 4 mois

Œuf : à partir de six mois, d'abord dur, puis mollet, puis coque. Omelette et œuf au plat : vers 15 mois.

Poisson : à partir de 4 à 6 mois

Viandes . à partir de 4 à 6 mois

Introduction des aliments chez l'enfant de zéro à trois ans (hors pathologie particulière). Source : Programme National Nutrition Santé

	1re année												2e année	3e année
	1er mois	2e mois	3e mois	4e mois	5e mois	6e mois	7e mois	8e mois	9e mois	10e mois	11e mois	12e mois		
Produits laitiers						Yaourt	ou fromage blanc		fromages →					
Légumes secs													15-18 mois : en purée*	
Farines infantiles (céréales)							Avec gluten							
Sel									Sans urgence ; à limiter				Peu à la cuisson : ne pas resaler	
Produits sucrés**														
Fruits					Tous : très mûrs		ou cuits, mixés ; texture homogène, lisse						En morceaux, à croquer*	
Légumes Pommes de terre					Tous : purée, lisse					petits morceaux*			Écrasés, morceaux*	
Pain, produits céréaliers										Pain, pâtes fines, semoule, riz*				
Viandes, poissons					Tous*** : mixés		10 g/j (2cc)			Hachés : 20 g/j (4cc)			30 g/j (6cc)	
Œufs							1/4 (dur)			1/3 (dur)			1/2	
M. G. ajoutées	Huile (olive, colza, etc.) ou beurre (1 cc d'huile ou 1 noisette de beurre au repas)													

Légende :
- Pas de consommation
- Début de consommation possible
- Début de consommation recommandée

* À adapter en fonction de la capacité de mastication et de déglutition et de la tolérance digestive de l'enfant.
** Biscuits, bonbons, crèmes dessert, desserts lactés, chocolats, boissons sucrées, confiture, miel, etc.
*** Limiter les charcuteries, sauf le jambon blanc.

3 : Évolution du poids et de la taille de votre enfant entre 1 mois et un an[1]

Les garçons de zéro à un an :

Âge	POIDS (en kg)			TAILLE (en cm)		
	Limite inf.	Moyenne	Limite sup.	Limite inf.	Moyenne	Limite sup.
1 mois	3	4	5	49	53	55
2 mois	3,7	4,9	5,9	52	57	59,5
3 mois	4,5	5,7	6,9	55	60	62
4 mois	5,1	6,5	7,7	57,5	62	65
5 mois	5,5	7,1	8,5	59,5	64,5	67,5
6 mois	6	7,6	9,1	61,5	66,5	69
1 an	7,6	9,7	11,8	69,5	74,5	77,5

---

1. Source : informations fournies sur le site materneo. Adresse : www.materneo.com.

Les filles de zéro à un an :

Âge	POIDS			TAILLE		
	Limite inf.	Moyenne	Limite sup.	Limite inf.	Moyenne	Limite sup.
1 mois	2,8	3,7	4,6	48,5	52,5	55
2 mois	3,7	4,6	5,5	52	56	60
3 mois	4,3	5,5	6,3	54,5	58,5	62
4 mois	4,7	6	7,3	57	61	65
5 mois	5	6,5	8	59	63	67,5
6 mois	5,5	7	8,7	60,5	65	69,5
1 an	7,3	9	11,2	67,8	72,5	77,5

QUE FAIRE, DOCTEUR ?

CAS N° 1 : Bébé maigre/bébé gros :
un conflit de génération.
Soyez de votre époque !

Ma mère enrichissait mon biberon de lait avec de la farine. J'ai vingt-cinq ans, je viens d'avoir une fille à mon tour. Ma mère (la grand-mère de la petite) insiste pour que, comme elle le faisait, j'ajoute de la farine dans le biberon de ma fille afin qu'elle soit, dit-elle, "mieux nourrie". Qu'en pensez-vous ?

Mes suggestions :

Autrefois, on aimait les bébés potelés, chérubins au visage joufflu et aux cuisses grasses. C'était un signe de bonne santé. Voilà pourquoi on n'hésitait pas à augmenter l'apport énergétique des biberons d'autant que les infections néonatales étaient très fréquentes et que, pour lutter contre celles-ci, les bébés avaient besoin d'énergie. On les nourrissait de bouillies épaisses dès l'âge de deux mois. Cela ne se fait plus car le nourrisson risque de réduire sa consommation de lait et s'expose à des carences nutritionnelles (fer, calcium, acides gras essentiels). On réserve les farines infantiles aux bébés qui ne sont pas rassasiés par leur ration de lait à partir de quatre mois. On épaissit le biberon afin de calmer leur faim et de stabiliser leur alimentation à quatre repas par jour. Le lait étant plus consistant, il passe plus lentement de l'estomac à l'intestin et le bébé est repu pendant des plages de temps plus longues. Attention : cela ne concerne qu'une minorité d'enfants qui ont un appétit supérieur à la moyenne.

Les enfants ayant un appétit classique n'ont pas besoin d'une source énergétique supplémentaire. Si leur croissance est normale, il n'y a aucune raison d'augmenter l'apport calorique de leurs biberons.

Les « bébés Cadum » bien en chair, que l'on trouvait superbes et dont les mères étaient fières, sont aujourd'hui regardés avec moins d'enthousiasme. On vantait autrefois leurs « joues pleines » ; on parle aujourd'hui de bébés « bouffis ». Autre temps, autres mœurs... Mais ce n'est pas qu'une question esthétique.

Qu'est-ce qu'un bébé gras ? Avant un an, décréter qu'un bébé est trop gros n'a pas de sens. Durant ses douze premiers mois, un nourrisson doit manger à sa faim. Il doit grossir et on se réjouira d'un enfant qui a bon appétit. Le bébé atteint sa corpulence maximale à l'âge d'un an. Ensuite, il maigrit, il « s'allonge » jusqu'à six-sept ans, âge auquel il subit ce que l'on appelle un « rebond d'adiposité » et reprend de la corpulence. Mais si entre un et six ans, au lieu de décroître, sa courbe de corpulence (qui se mesure par le rapport poids/taille au carré en fonction de l'âge) augmente, on considère qu'il entre dans le surpoids voire dans l'obésité. Il faut alors réagir et surveiller son alimentation.

Que penser d'un bébé maigre ? Certaines personnes sont maigres toute leur vie, même bébés. C'est ainsi. Elles brûlent tous les nutriments qu'elles consomment. Et, toute leur existence, depuis leur naissance, elles ont un poids inférieur à la moyenne. Souvent, les personnes trop maigres s'en plaignent. J'en reçois régulièrement dans mon cabinet de consultation. Ces patients me racontent qu'on les croit malades, ce qui n'est pas bon pour le moral. Ils éprouvent une sensation désagréable de faiblesse liée à leur maigreur, alors qu'en réalité, ils ont la même force que n'importe qui. Ils ont du mal à prendre du poids et n'y arrivent qu'au terme d'efforts soutenus, avec une réelle suralimentation accompagnée d'exercices de musculation. Et dès qu'ils relâchent leur attention, ils redeviennent chétifs !

Résumons : sauf maladie avérée, un bébé mince n'est pas préoccupant. Un bébé bien portant avant un an n'est pas non plus inquiétant. Pour ce qui est des farines infantiles : à moins que votre bébé ne vous semble affamé et ne pleure de faim entre les biberons, elles sont inutiles. Du reste, on ne facilite pas la vie du nourrisson en alourdissant son alimentation.

Mon conseil : il n'y a pas de quoi en faire un motif de conflit avec la grand-mère du bébé. Vous pouvez, de temps en temps, quand elle est là, ajouter de manière symbolique de la farine de céréales dans le biberon de votre fille, cela lui apportera un peu de fer, des sels minéraux et des vitamines supplémentaires. Choisissez des farines spécialement conçues pour les nourrissons et les bébés et préférez les farines précuites, plus digestes.

CAS N° 2 : Doypacks, petits pots : la transmission peut-elle se faire ?

Mon bébé vient d'avoir trois mois. J'ai repris le travail. Je suis débordée et ne trouve pas le temps, comme je l'ai vu faire par de jeunes mères consciencieuses, de préparer de bonnes purées maison pour mon enfant. Je dois avouer que je ne sers à ma petite fille que des préparations toutes faites achetées au supermarché. C'est tellement pratique ! Je me dis qu'elle serait peut-être mieux nourrie avec des produits maison... et d'ailleurs ma belle-mère ne se prive pas de me le dire.

Mes suggestions :

Détrompez-vous ! Les produits industriels pour enfants en bas âge sont les aliments les plus sûrs du point de vue sanitaire et microbiologique. Cela peut paraître paradoxal mais je suis très favorable à l'utilisation des produits industriels pour bébés. Au début de la diversification alimentaire, ce sont les plus indiqués car ils sont l'objet d'une réglementation stricte. S'il y a un domaine où les contrôles sont rigoureux, c'est bien celui-ci. Leur composition est surveillée de près. Prenons l'exemple de la purée de carottes : dans un petit pot industriel, vous êtes sûre qu'il n'y aura pas de nitrates. On ne peut pas avoir la même certitude en achetant ses légumes sur le marché puisqu'on ignore où ils ont poussé. Si les carottes viennent de Bretagne, elles sont souvent pleines de nitrates, ce qui ne présente aucun danger pour les adultes, mais le jeune enfant, lui, a des difficultés à transformer ces substances. Ces nitrates risquent alors de produire chez lui des nitrites toxiques. L'industrie agroalimentaire propose des produits sans nitrates qui, de plus, contiennent peu de sucre ajouté et aucun additif. Enfin, ils sont aujourd'hui, tous, sans exception, cuisinés sans sel.

Lorsque vous préparez les plats vous-même à la maison, il vous est difficile de garantir la qualité des ingrédients, vous ignorez la manière dont les légumes ont été cultivés et vous ne connaissez pas forcément l'origine des viandes ou des poissons.

J'ajouterai que les purées industrielles ont l'avantage d'être présentées en compartiments, aliment par aliment, ce qui aide l'enfant à différencier les goûts et facilite l'éducation alimentaire. Il est donc urgent de déculpabiliser les mères. Elles peuvent utiliser à loisir les aliments industriels pour bébés. Cela ne doit pas les empêcher de faire bouillir une courgette de temps à autre. Car il y a, dans l'acte de cuisiner, dans l'odeur de la nourriture, dans le son des casseroles, quelque chose d'opérant sur le plan de la transmission alimentaire. Pensez-y peut-être le week-end !

CAS N° 3 : Du maroilles dans la purée : transmission régionale

Mon mari est ch'ti. Il n'hésite pas à ajouter du maroilles dans la purée de pommes de terre de notre bébé de huit mois. Il veut lui transmettre le goût pour les produits de son terroir. Cela me semble un peu tôt...

Mes suggestions :

On introduit le fromage dans le régime des bébés autour du septième mois, en petite quantité et en commençant par les fromages à pâtes cuites. Donner du maroilles à un enfant de huit mois, c'est évidemment très précoce ! Mieux vaut attendre la maturité du système digestif. Les fromages contenant beaucoup de ferments peuvent perturber la flore colique de l'enfant qui n'est pas encore bien stable. Il est plus sage d'attendre avant d'introduire de nouveaux germes.

Ceci étant, la consommation d'un fromage à goût comme le maroilles est-elle favorable à l'éveil gustatif de l'enfant ? Huit mois, c'est un peu avant les risques d'apparition de la néophobie alimentaire. Le bébé accepte volontiers de nouvelles saveurs, son palais est capable de mémoriser les goûts qu'il découvre et tout ce qu'il apprécie à cet âge-là, il le retrouvera avec plaisir plus tard. Vous verrez tout de suite, à la mimique de l'enfant, s'il aime ou pas. S'il semble apprécier ce goût et que son père considère le maroilles comme un aliment essentiel à la transmission familiale, pourquoi pas ?

Il n'y a pas si longtemps, on versait dans le biberon des garçons une goutte de la liqueur locale : calvados en Normandie, armagnac dans le Sud-Ouest. On pensait ainsi en faire un homme, lui donner le goût des bons produits du terroir ou encore l'aider à trouver le sommeil. C'était une forme de transmission régionale identitaire. C'est évidemment de l'histoire ancienne. On sait aujourd'hui que l'enfant n'a aucun moyen de lutter contre les effets de l'alcool, extrêmement dangereux pour les bébés. À une époque où tous les efforts se portent vers la lutte contre l'alcoolisme chez les adolescents, on ne va pas commencer la boisson à six mois ! Transmettez plutôt l'identité de votre région avec les fromages du cru. Cela me paraît une voie séduisante et même une riche idée.

Chapitre 2

De trois à douze ans : la découverte de la cantine et les prémisses de l'adolescence

16 heures, sortie d'école, attroupement compact devant la grille. Les portes s'ouvrent. La cloche sonne. L'enfant sort. Rayonnant, il fend la foule pour se précipiter vers sa mère. Ça va, mon amour ? Oui. Les baisers. Les regards. Et très vite, le seul regard qui compte, le regard inquisiteur, le regard qui ne rigole pas. Le racket prend la forme d'une main potelée mais autoritaire dirigée vers le sac en plastique pendu au bras de la mère. Je peux avoir mon goûter ?

L'enfant qui sort de l'école a faim.

En même temps qu'il se décharge sur sa mère d'un cartable trop lourd, il engloutit un paquet de gâteaux, boit d'un trait un jus de fruit.

Manger ! Se nourrir à tout prix ! Vite et beaucoup !

Cette scène déclenche invariablement l'interrogatoire maternel, serré et vaguement alarmé. Tu as bien mangé à la cantine ce midi ? Qu'est-ce qu'il y avait aujourd'hui ? La viande, tu en as mangé ? Un petit peu ? Les légumes ? C'était pas bon ? Tu as mangé le yaourt ? Que du pain ! Mais alors tu n'as encore rien mangé !

Que vaut la restauration scolaire ?

Les témoignages des élèves varient du tout au tout. Certains se félicitent de découvrir de nouveaux plats qu'ils adorent. À l'autre extrémité du spectre, on entend de nombreuses récriminations quant à la saveur douteuse, au choix hasardeux des menus, aux quantités insuffisantes, à la température inappropriée des plats, etc. Globalement, les compliments sont rares sur la qualité gustative des repas servis à l'école. Il est plus souvent fait référence à « l'immonde poisson vapeur flottant dans son eau de cuisson » qu'à « la texture parfaite d'un filet de lieu servi avec sa julienne de légumes croquants ».

Difficile de cuisiner pour la multitude et avec des budgets somme toute restreints. Pour un repas facturé cinq euros, un euro est alloué à l'achat des produits, et les quatre autres au fonctionnement de la cantine, personnel et locaux. Pour autant, la qualité des produits, comme la composition des menus, se veut irréprochable. Le GEMRCN (Groupe d'Étude des Marchés de Restauration Collective et de Nutrition) veille. Cette institution publique a mis en place un certain nombre d'outils et formulé des recommandations destinées à équilibrer les repas servis en collectivité. Ces règles nutritionnelles s'adressent aussi bien à la restauration autogérée qu'aux enseignes commerciales de restauration scolaire et ont été rendues obligatoires à l'automne 2011. C'est une avancée notable !

Bonne nouvelle, la composition des plats s'améliore constamment. La tendance est à la diminution des entrées riches en matières grasses (friands, charcuterie) ainsi que des plats préfrits et frits (frites, poissons panés, boulettes de légumes), mets, souvent préférés des enfants. On augmente la fréquence des crudités et des fruits ainsi que la variété des légumes cuits accompagnant le plat de résistance. Certaines habitudes persistent encore ici ou là comme la récurrence des quenelles, des saucisses de Francfort, des paupiettes (trop grasses), des préparations à base de poissons panés et de brandades (moins saines que de simples filets de poissons). Mais elles sont vouées à disparaître.

N'oubliez pas que chaque repas scolaire contient forcément un laitage (yaourt ou fromage). Les industriels, pour répondre à cette nécessité, ont même manufacturé, pour les cantines, des produits fromagers plus riches en calcium. Aussi, si votre enfant se plaint de ne rien aimer de ce qu'on lui sert à l'école, essayez de le convaincre de manger au moins le laitage, le fruit et le pain.

Le GEMRCN recommande également aux cantines de respecter un grammage adapté en protéines. À cet effet, cet organisme a élaboré des outils parmi lesquels des tableaux de grammages par âge qui rappellent les portions adaptées aux besoins nutritionnels des enfants.

La mise en place des nouvelles règles requiert un temps d'apprentissage et d'adaptation pour les cuisiniers et les économes. Dans l'ensemble, les cantines proposent aujourd'hui des repas complets répondant aux besoins des enfants selon leur tranche d'âge. Ces repas sont conçus de façon à leur procurer un apport énergétique adapté pour attaquer un après-midi de travail ou de sport.

Qui fait les menus ?

Les menus des cantines sont élaborés sous le contrôle d'une commission qui se réunit deux fois l'an. Y participent le responsable de l'établissement, le cuisinier, une diététicienne et un délégué des parents d'élèves. Les parents peuvent donc communiquer leurs suggestions (à propos de la composition des menus ou du choix des aliments) par l'intermédiaire de leur représentant. C'est pour vous, parents, la personne la plus utile à contacter en cas de problème car elle pourra transmettre vos remarques en commission.

La nature des produits vous préoccupe ? Parlons bio.

L'alimentation bio fait doucement son entrée dans les écoles. Sa part n'est encore que de 0,5 % des repas servis mais la progression est remarquable puisque le nombre de ces repas a été multiplié par dix entre 2004 et 2007. Certains départements leaders, comme le Jura, le Morbihan, le Finistère ou la Drôme, s'appuient sur la production régionale pour l'achat de leurs produits et servent dans leurs cantines yaourts, pain, pommes de terre, carottes, betteraves, bœuf bio. Ces initiatives locales (et formidables !) devraient se généraliser, selon les vœux des pouvoirs publics, volonté clairement formulée lors du Grenelle de l'Environnement qui a fixé à 15 % en 2010 et à 20 % en 2012 la part des produits biologiques dans la restauration collective publique. Mais, pour l'heure, les objectifs n'ont pas été atteints, loin s'en faut.

Faut-il le regretter ? Peut-être, mais sachez que le marché français de l'agriculture biologique est encore trop restreint. Pour approvisionner les cantines à l'échelon national, il nous faudrait importer la majorité des produits bio nécessaires, ce qui occasionnerait une dépense carbone considérable, en contradiction avec les vertus écologiques de ces aliments. Gardons aussi à l'esprit que les critères de qualité des produits bio, hors zone européenne, ne sont pas toujours respectés. Donc, méfiance !

La vraie question est la suivante : quel est l'intérêt, pour les enfants, de manger bio ? Du point de vue nutritionnel, il est important de rappeler qu'il n'y en a aucun. L'apport nutritionnel d'un aliment issu de l'agriculture biologique est identique à celui du même aliment issu de l'agriculture traditionnelle. Personne n'est même à ce jour en mesure d'évaluer l'impact de la consommation régulière d'aliments bio sur la santé du consommateur. Un aliment bio, moins exposé aux pesticides, est-il plus sain ? Là non plus, nous n'avons pas la réponse. À ce jour, nous n'avons jamais observé de maladies liées directement aux pesticides sauf chez les agriculteurs en contact direct et quotidien avec ces substances chimiques. Quant à la généralisation des produits bio dans les cantines, elle ne pourra intervenir, vous l'avez compris, qu'au terme d'une réorganisation globale de nos systèmes de production.

L'important est que votre enfant ne reste pas le ventre vide.

Encore une bonne nouvelle : dans le cadre des mesures nationales, signalons l'installation, depuis 2003, de fontaines à eau dans tous les établissements scolaires. Parallèlement, une loi votée en 2004 interdit les distributeurs de confiseries et de sodas dans les écoles. C'est aujourd'hui un fait acquis : on n'en trouve plus dans aucun établissement. Mais trouve-t-on des fontaines à eau partout et en nombre suffisant ? Si ce n'est pas le cas dans l'établissement de votre enfant, voilà une question judicieuse à poser au représentant des parents d'élèves !

Revenons à notre enfant.

Trois ans : les débuts de l'indépendance alimentaire

La scolarisation en maternelle peut coïncider avec l'inscription de votre enfant à la cantine. Il ne déjeune plus à la maison ; le menu de midi vous échappe. D'autres vont décider de ce qu'il mange et dans quelle quantité. Des voix extérieures à la cellule familiale s'interposent dans la relation parents/enfant : la transmission évolue. Quelle est notre influence sur l'alimentation des enfants à l'école ? Quelle attitude adopter pour aider vos enfants à tirer le meilleur profit de la restauration scolaire ?

Avant tout, relativiser.

Sur quatorze repas hebdomadaires, l'enfant n'en prend que quatre à la cantine. Une enquête réalisée par le Credoc en 2007 comptabilise le pourcentage de déjeuners pris à la cantine : il est en moyenne de 17 % pour les élèves de maternelle et de 20 % pour les élèves de primaire[1]. L'enquête précise que, parmi les catégories socio-professionnelles, les enfants d'ouvriers sont ceux qui fréquentent le moins les réfectoires de cantine. Elle indique également que les enfants issus de familles monoparentales déjeunent plus souvent à la cantine que les autres.

Prendre ses repas en collectivité est une expérience nouvelle quand on a trois ans. L'élève de petite section apprend à manger tout seul, à manger ce qu'on lui sert. Il se sociabilise autour d'un repas. Au-delà de son apport strictement nutritionnel, le déjeuner à l'école regorge d'enseignements. En fréquentant les réfectoires, nos enfants acquièrent un début d'indépendance et, sans doute aussi, un regard nouveau sur ce qu'ils mangent chez eux. « Il y a pire qu'à la maison », pourrait être l'un des enseignements majeurs de l'expérience de la cantine pour ceux ayant tendance à faire la moue devant les menus familiaux. Subitement, la cuisine maternelle se trouve nimbée de gloire. Comme par miracle, l'enfant apprend à apprécier les petits plats mitonnés et servis avec amour par ses parents ! Dans le processus de trans-mission, la cantine peut s'avérer une alliée.

Ne nous leurrons pas : la majorité des enfants ne se nourrissent pas correctement à la cantine et on n'y peut rien. Le directeur est dans l'impossibilité de mettre un surveillant derrière chaque élève. Certains ne mangent pas suffisamment et ont tendance à privilégier le pain au détriment de la viande ou du poisson. Ce n'est pas tragique. On peut toutefois prodiguer quelques conseils à son enfant pour le préparer à la restauration scolaire.

---

1. Source : Crédoc, enquête CCAF 2007.

La cantine n'est pas la même à tous les âges.

À l'école maternelle, c'est le système du service à l'assiette. L'enfant est servi ; le personnel s'assure qu'il se nourrit correctement.

En primaire, même système mais les portions évoluent et la surveillance s'assouplit.

Au collège, c'est la révolution du self. L'élève choisit lui-même ses plats. Il faut l'y préparer. Un tabuolé en entrée, un couscous en plat de résistance et un gâteau de riz au dessert, ce n'est pas fameux ! On peut faire mieux ! Le passage au collège est une étape. Brutalement, l'enfant, habitué jusque-là au menu imposé, découvre une liberté quasi-totale. Il est livré à lui-même, c'est lui qui compose son repas. C'est le moment ou jamais de lui enseigner quelques rudiments de diététique, quelques principes simples qui l'aideront à s'alimenter sainement.

En entrée, il est préférable de choisir des crudités et varier les couleurs des légumes lui permettra de se sentir en pleine forme. Il aura fait le plein d'anti-oxydants. Une charcuterie ou un œuf mayonnaise, s'ajoutant au plat principal, surchargent le menu en protéines et surtout en graisses. Les crudités, en dilatant l'estomac, servent à calmer la faim. Insistez également sur l'absolue nécessité de manger un plat principal, poisson, viande, œufs ou hachis parmentier. Le plat de résistance apporte des protéines, des fibres (contenues dans la garniture de légumes ou de féculents) et les glucides souhaitables pour être en forme tout l'après-midi. Un laitage (fromage ou yaourt) est indispensable. Il apporte le calcium nécessaire à l'adolescent. Enfin, le dessert, fruit ou sucrerie (gâteau, crème, etc.) évitera au collégien de grignoter en fin d'après-midi à la sortie des cours. Voilà ce qui pourrait ressembler à un repas complet !

C'est exactement ici que se situe le rôle de transmission des parents. N'hésitez pas à organiser des travaux pratiques. Avant la rentrée au collège, allez déjeuner en famille dans un restaurant self-service. Vous verrez combien c'est instructif. Le comportement spontané du futur élève de sixième devant les présentoirs d'un self-service peut surprendre... Observez votre enfant et inculquez-lui les bons réflexes.

Au lycée, les élèves, même inscrits à la cantine, ont tendance à déjeuner dehors. Pour éviter la fuite des lycéens dans les fast-foods ou boulangeries du quartier, certains établissements ont installé des cafétérias dans l'enceinte de l'école. C'est une bonne idée. Malheureusement, on y propose des « formules » de restauration rapide calquées sur ce que les élèves trouvent dans la rue et dont l'apport nutritionnel n'est pas satisfaisant. Mieux vaut leur donner accès, pour un prix modique, à des menus plus équilibrés. Oui à la cafétéria, non au fast-food à l'école. Pour changer les choses, il faut compter sur la détermination des parents. Protestez auprès de la direction des lycées, peu à peu la situation évoluera.

Et pourquoi ne pas créer au collège, ou plus tard au lycée, un système de « délégués du goût » ? Il s'agirait d'associer des élèves à l'élaboration des menus. Avant la rentrée, les collégiens et lycéens qui se porteraient volontaires testeraient les plats proposés au cours de l'année. Les menus seraient rectifiés en considération des remarques de ces élèves. Le « visa » ainsi délivré par les principaux intéressés amènerait l'ensemble des élèves à considérer avec un a priori plus favorable les repas servis à la cantine. Ces délégués du goût feraient donc office d'ambassadeurs auprès de leurs camarades. Je défends cette idée car il me semble qu'il faut renverser la vapeur et interrompre le processus de dénigrement systématique des cantines. Tout le monde y gagnerait. Les personnels de restauration scolaire seraient récompensés de leurs efforts, les élèves reprendraient le chemin de la cantine et économiseraient temps et argent, les parents seraient rassurés et le directeur satisfait. Un peu d'innovation, que diable ! Gardons à l'esprit que le partenariat est essentiel dans le processus de transmission alimentaire.

D'ailleurs, dans cette optique, certaines sociétés de restauration scolaire éditent des prospectus visant à aider les parents à concevoir les dîners à la maison. Ils suggèrent des menus en harmonie avec le déjeuner du jour servi à la cantine. Voilà une intrusion dans la vie familiale... Mais pourquoi pas ? Les parents peuvent utiliser à leur convenance ces propositions et les adapter à leur tradition culturelle. La transmission nutritionnelle familiale, même si elle est très personnelle, ne doit en aucun cas occulter l'environnement de l'enfant. Elle doit à tout prix s'adapter aux conditions de vie de celui-ci.

Il y a une vie en dehors de la cantine...

L'apport énergétique de l'enfant se conçoit sur une journée. Dès lors, on peut compenser les carences redoutées à la cantine par des repas adaptés à la maison. Les parents doivent pour ce faire apporter un soin particulier aux repas qui encadrent la journée : le petit-déjeuner, le dîner et le goûter.

Le petit-déjeuner, essentiel, permet à l'élève de fournir une attention soutenue à l'école. Copieux et bien conçu, il évite le coup de pompe du milieu de matinée. De plus, c'est souvent un moment passé ensemble, un moment de réconfort avant d'attaquer la journée d'école. Sur la table, il y aura du lait, du chocolat en poudre, un yaourt ou du fromage blanc, de la confiture, du miel, du pain, des céréales, des fruits, en fonction des goûts de chacun.

Quel est le petit-déjeuner idéal ?

C'est celui qu'aime votre enfant. Il peut donc être extrêmement varié mais doit toujours contenir un produit lacté.

Un laitage, sous quelque forme que ce soit : lait, yaourt, fromage blanc, pâte molle ou dure. On ne le répétera jamais assez : l'enfant, pour grandir, a besoin de calcium.

Et pourtant, de nos jours, une campagne anti-lait fait rage. N'y prêtez aucune attention. Le lait étant un excellent aliment (une abondante littérature scientifique en rappelle les bienfaits), ne nous en privons surtout pas ! D'autant qu'il fait partie de notre culture. N'oublions pas que le lait a tenu un rôle essentiel dans l'amélioration de la santé publique en France. On constate dans certaines cultures culinaires, notamment en Asie, son absence totale. Par exemple, l'alimentation chinoise n'apporte que 450 mg de calcium par jour soit la moitié des recommandations. Mais ce qu'on ne vous dit pas c'est que, si, en Chine comme ailleurs, l'espérance de vie augmente... l'ostéoporose aussi. Dans ce pays, le nombre de fractures du col du fémur a été multiplié par trois en trente ans. En réaction à cette évolution, qu'ont fait les autorités chinoises ? Elles ont décidé de distribuer du lait dans les écoles[1] !

Le petit-déjeuner doit également procurer de l'énergie grâce aux glucides contenus dans le pain ou les céréales. Les glucides sont le carburant du cerveau. Quand le taux de sucre est trop faible dans le sang, on ressent une sensation de faiblesse, une grande fatigue. C'est le coup de pompe de 11 heures !

Enfin, il y a l'aliment plaisir : beurre, Nutella, confiture ou miel.

Récapitulons : du lait, du pain et de la confiture, voilà un petit-déjeuner idéal. Ceux qui ont très faim au réveil peuvent soit augmenter la ration de protéines (une tranche de jambon ou un œuf à la coque), soit ajouter un fruit. Mais on n'est pas obligé de boire un jus de

---

1. Jean-Marie Bourre, *Le Lait : vrais et faux dangers*, éditions Odile Jacob, 2010.

fruit au petit-déjeuner car il n'apporte pas le rassasiement recherché. Une pomme calme la faim, un jus de
pomme beaucoup moins. Le jus de fruit est à ranger
dans la catégorie des « aliments plaisir ».

Mais ce n'est pas toujours aussi simple.
Parfois, le petit-déjeuner devient un problème épi-
neux, générateur d'angoisse.
Il y a, d'une part, l'angoisse de l'enfant qui, le ventre
serré, est incapable d'avaler quoi que ce soit avant d'aller
à l'école. L'anxiété, formulée ou pas, lui noue l'estomac.
On observe d'ailleurs que, le plus souvent, le problème
du petit-déjeuner disparaît pendant le week-end ou les
vacances. Les mêmes enfants qui avaient le ventre noué
en période scolaire mangent alors joyeusement et
copieusement.
Il y a aussi l'angoisse des parents qui imaginent leur
enfant le ventre vide toute la matinée et craignent pour
sa scolarité.
Relativisons : voir son enfant partir à l'école le ventre
vide est un vertige... pas un drame.
Que faire ?
On ne peut forcer un enfant à manger au petit-déjeuner.
Mais il ne peut pas non plus rester à jeun jusqu'à midi.
Le minimum, c'est une boisson dans la matinée. Le lait
chocolaté contient du sucre, du calcium, des protéines et
un peu de graisses : ce n'est pas mal ! Essayez de le
convaincre d'avaler quelque chose. Si toutefois vous sentez un blocage, n'insistez pas, vous n'arriverez à rien.
Mieux vaut glisser dans son cartable un petit sandwich
au fromage, un fruit, une compote ou une barre de
céréales mais pas n'importe quoi. Chips, gâteaux ou
confiseries ne sont pas recommandés. S'il ne peut avaler
que des gâteaux, proposez-lui des Paille d'Or, des Chamonix Orange, qui sont sucrés mais pas gras ou encore
des Petit Beurre ou des biscuits Petit Déjeuner au taux

raisonnable de graisses. Ce petit ravitaillement lui donnera un coup de fouet au moment de la récréation du matin et lui épargnera la fatigue de l'après-midi, surtout s'il mange à la cantine et n'aime pas ce qu'on lui sert au déjeuner...

Quel menu pour le dîner ?

En maternelle et en primaire, les menus de la cantine sont communiqués aux parents tous les mois. Ils vont vous aider à servir des dîners adaptés. Si votre enfant mange correctement à la cantine, le dîner vient seulement compléter le déjeuner. S'il a mangé de la viande à midi, proposez-lui du poisson, du jambon ou des œufs le soir. S'il a mangé des féculents à midi, vous lui servirez plutôt des légumes le soir, un laitage et un fruit.

Proposez du pain, aliment traditionnel s'il en est, et très emblématique de notre civilisation. Au début du XXᵉ siècle, on en mangeait un kilo par jour ; aujourd'hui, on en consomme entre 80 et 150 g. Nous avons considérablement réduit notre ration alors même que notre pays fabrique les meilleures baguettes, bâtards, flûtes, ficelles, sans compter les pains régionaux, fougasses du Sud, faluches du Nord. Voilà un patrimoine fabuleux qu'il serait malheureux de ne pas transmettre à nos enfants. Le pain est un féculent, au même titre que les pâtes ou le riz : pensez-y !

Si votre enfant ne mange pas beaucoup à la cantine, assurez-vous de lui préparer un dîner vraiment complet : entrée/plat principal avec viande, poulet ou poisson et légumes ou féculents/fromage/dessert. Et surtout, veillez à ce qu'il mange de tout. Soyez patient, laissez-lui le temps, n'expédiez pas son dîner. Si besoin, laissez les aînés sortir de table.

De manière générale, mieux vaut aussi éviter de dîner trop tard. Aménager un moment de détente avant d'aller dormir favorise la digestion. L'idéal pour un enfant qui se couche à 21 heures serait de dîner à 19 heures. Néanmoins, de nombreux parents ont de longues journées de travail et ne rentrent pas chez eux avant 20 heures même s'ils le désirent. Soyez astucieux, faites dîner les enfants tôt les veilles d'école et prévoyez des repas familiaux les mardis, vendredis et samedis en repoussant un peu l'heure du coucher ces soirs-là.

On le voit, il existe mille formules possibles. N'hésitez pas à jongler entre les emplois du temps des uns et des autres, l'aménagement de la vie familiale autant que de la vie de couple (certains aiment préserver quelques dîners en tête à tête). Pourquoi ne pas imaginer que celui des deux parents qui rentre le premier dîne avec les enfants ou, simplement, leur tienne compagnie. En tout cas, le repas du soir est l'occasion de reprendre le contrôle de l'alimentation de son enfant, pour lui transmettre votre propre culture culinaire et de s'assurer qu'il mange équilibré. À chaque famille sa formule.

La « préadolescence alimentaire »

Vers l'âge de six ou sept ans, l'enfant entre à l'école primaire. Dès la fin du cours préparatoire, il sait lire et écrire : c'est un saut considérable. En quelques années, il va gagner en maturité, ses maîtres le responsabiliseront pour les devoirs, il se débrouillera sans vous, s'occupera de ses affaires, et quittera de plus en plus le cocon familial. À dix ans, à peine arrivé en CM2, il vous demandera d'aller tout seul à l'école ! Il entre dans une nouvelle phase de maturité. C'est une période que les psychanalystes nomment « la phase de latence » ou « préadolescence ».

En même temps qu'il devient plus autonome, l'enfant ressent le besoin que ses progrès soient récompensés par un changement de statut. Il aspire à plus de liberté et d'indépendance. Ses relations avec ses parents évoluent. Les copains prennent une place croissante dans son existence, la famille n'est plus au centre.

Durant cette période, une forme de pudeur apparaît. Entre sept et onze ans, votre enfant ferme la porte de sa chambre, se cache pour se changer, la nudité l'embarrasse, il se sent plus à l'aise avec les camarades du même sexe que lui. La préadolescence, état embryonnaire de l'adolescence, est liée au fait que la puberté survient de plus en plus précocement chez les jeunes. Vers douze ans, certains enfants commencent déjà à changer de corps, les garçons muent, les filles ont leurs règles... et les personnalités se dessinent. L'âge moyen des premières règles, autrefois autour de quinze ans, s'établit aujourd'hui autour de douze ans et demi chez les Françaises. Physiquement plus mûrs, ces jeunes ne veulent plus être considérés comme des enfants, exigent d'être traités différemment et apprécient qu'on leur confie des responsabilités. Ils deviennent un rien distants et économes en marques d'affection ; leurs gestes de tendresse sont comptés. Pour autant, ils continuent d'avoir besoin de démonstrations d'amour des parents, mais surtout pas en public.

C'est une période délicate pendant laquelle, bien qu'ayant des velléités d'indépendance, l'enfant éprouve un fort besoin de se sentir entouré. Assez gauchement, il manifeste son individualité. Et en même temps que sa personnalité s'affirme, son goût se radicalise. Le « j'aime/j'aime pas » devient presque militant. Il s'agit d'afficher des goûts en conformité avec sa classe d'âge ou son groupe d'amis. Subitement, il « adore » certains aliments, en « déteste » d'autres, et surtout exprime la chose avec beaucoup d'assurance. Tandis que, jusqu'à huit ans, l'enfant accepte volontiers de goûter de nouvelles saveurs, préadolescent, il arrive qu'il se braque et refuse toute suggestion de ses parents. Naît pour les parents l'impression vertigineuse de perdre toute emprise sur le contenu de son assiette alors qu'ils pensaient pouvoir souffler un peu, ayant trouvé un certain équilibre familial.

Ce n'est qu'un avant-goût des turbulences de l'adolescence. Côté nourriture, la relation parents/enfant évolue doucement vers le rapport de force. Pour la première fois, votre enfant vous ment. Il vous fait des cachotteries. Il se délecte de sucreries à votre insu. Tout le monde a connu ça ! C'est un mensonge dont le propos est de marquer son territoire, de montrer qu'il ose transgresser les règles, qu'il n'est plus l'enfant de chœur qu'il était à cinq ou six ans. J'ai souvent reçu en consultation des préadolescents qui dévoraient des paquets entiers de bonbons en prenant bien soin de stocker les emballages dans un tiroir, au lieu de les jeter. Inévitablement, les papiers de bonbons étaient un jour découverts par les parents. Ces enfants agissaient un peu comme les auteurs de journaux intimes qui laissent traîner leurs carnets (preuve qu'une partie d'eux-mêmes a envie de diffuser leurs secrets). Un préadolescent n'est pas totalement indépendant, il aime s'assurer qu'il existe bien une autorité de tutelle. Il vous teste !

Quelle attitude adopter ?

Restez calmes et lâchez un peu de lest tout en continuant d'imposer les règles nutritionnelles essentielles au développement de votre enfant. Il y va de sa santé. À cet âge-là, il est en pleine croissance, il doit absolument se nourrir sainement et suffisamment. Et puis, psychologiquement, il a besoin de vous. Tout en réclamant plus d'indépendance, il aime se sentir encadré.

Les parents doivent surveiller (d'un peu plus loin) les grignotages des préadolescents. D'autant que, parfois, la machine se grippe. La préadolescence « alimentaire » peut se manifester par la persistance de comportements néophobiques ou encore par l'apparition précoce, avant douze ans, de symptômes anorexiques.

Voici quelques repères pour en reconnaître les indices. Une jeune fille qui mange moins et se réjouit d'avoir perdu un peu de poids : rien de plus normal. Une enfant qui n'est jamais satisfaite de sa perte de poids et ne parle que de maigrir présente une pathologie. Si vous remarquez que votre enfant maigrit et que sa vie scolaire et sociale est moins épanouie, c'est le signe d'un malaise auquel il faut remédier. Autre exemple : une préadolescente (ce sont en majorité des filles) qui se fait vomir est forcément mal dans sa peau. Elle risque de basculer dans l'anorexie. Il vous faut l'entourer, parler ouvertement et clairement de son comportement alimentaire. Si vous constatez que rien ne change et qu'elle mange de moins en moins à table, n'hésitez pas à vous faire aider le plus rapidement possible par une équipe spécialisée dans cette pathologie. Il en existe dans certains hôpitaux ou centres médicaux privés. Parfois, au début de la maladie, la pratique d'un sport peut déclencher un cercle vertueux. L'activité physique l'épanouit, lui redonne une bonne estime d'elle-même et lui ouvre l'appétit. Et tout rentre dans l'ordre.

Le cas de l'enfant maigre

Parlons un instant des enfants maigres. Ceux-là suscitent chez leur mère des états de stress épouvantables – j'en reçois régulièrement dans mon cabinet de consultation. C'est bien compréhensible : voir son enfant la peau sur les os est terrifiant. Mais n'oubliez pas qu'en dehors du cas très spécifique de l'anorexie, un enfant ne se laissera jamais mourir de faim !

On peut très bien être maigre et en parfaite santé. L'enfant maigre possède un métabolisme différent. Il va probablement rester maigre toute sa vie et n'a pas besoin d'être gavé comme une oie. Le plus souvent, de lui-même, l'enfant maigre mange exactement ce dont il a besoin.

En consultation, à ces parents alarmés qui jugent leur enfant trop maigre et me demandent quoi faire, ma réponse peut paraître un peu brutale. Elle est pourtant sincère. Mon unique conseil est assez simple : « Forcez-vous à lui ficher la paix. » À moins que vous ne constatiez qu'il réduit son répertoire alimentaire et refuse des aliments que jusque-là il mangeait sans problème, vous n'avez aucune inquiétude à avoir. Tous les parents auront remarqué qu'il y a des cycles, des moments où l'enfant dévore, d'autres où il mange peu. Dans les périodes de croissance, spontanément, il se nourrit pour satisfaire un besoin corporel. Il arrive même, pendant de courtes périodes, qu'il aille chercher des aliments qu'il consomme peu d'ordinaire. De lui-même, il se tourne vers les fruits parce qu'il a besoin de vitamine C. Parfois, il se met à manger de la réglisse qui lui permet de remonter sa pression artérielle. C'est magnifique quand les choses se font toutes seules ! Ses fonctions spontanées du corps se mettent en route et dictent à l'enfant des comportements alimentaires adaptés, injonctions corporelles plus efficaces que mille conseils. C'est pourquoi, dans ces périodes, il faut éviter que l'angoisse des parents ne brouille ces réflexes spontanés. Le meilleur conseil que peut prodiguer un nutritionniste tient donc en quatre mots : « Ne vous inquiétez pas ! » Bon an mal an, les enfants maigres mangent ce dont ils ont besoin et arrivent très bien à se réguler. Au passage, posez-vous la question : est-ce le seul maigre de la famille ? De qui tient-il ?

En conclusion : tenez bon pendant cette période nouvelle pour vous. Soyez vigilant et tout se passera bien.

LE SAVIEZ-VOUS ?

1 : À propos
de la restauration scolaire

La France compte douze millions d'élèves scolarisés. Moins de la moitié d'entre eux déjeunent à la cantine, dans une proportion d'un élève sur deux en primaire et de deux élèves sur trois parmi les collégiens et lycéens.

En primaire, cinquante trois mille établissements scolaires servent environ quatre cents millions de repas l'an. La restauration scolaire en primaire est à la charge des municipalités.

Les collèges et lycées servent six cents millions de repas par an. La restauration scolaire au collège relève du département ; au lycée, elle relève de la région.

Tout enfant présent dans un établissement scolaire à l'heure du déjeuner reçoit un repas même si les parents n'ont pas les moyens de payer pour ce repas.

Il existe deux types de restauration scolaire :

– 60 % des établissements ont recours à la restauration autogérée. La commission des menus décide des repas et assure elle-même la production et la distribution de ces derniers. Dans les écoles des petites villes, une équipe de cuisiniers prépare la nourriture sur place. Dans les grandes villes, les plats sont élaborés dans des cuisines centrales puis livrés dans les écoles.

– La restauration concédée, dite encore commerciale, concerne 40 % des établissements scolaires.

Dans ce cas, un marché est passé avec une entreprise spécialisée pour la fourniture de repas produits à grande échelle et à moindre coût dans des unités de production implantées hors des centres-villes.

QUE FAIRE, DOCTEUR ?

CAS N° 1 : Le lait :
ça ne passe pas le matin !

Ma fille a dix ans. Elle m'assure qu'elle ne supporte pas le lait le matin. Elle se plaint de maux de ventre. En conséquence, elle a supprimé le verre de lait au petit-déjeuner. Je le regrette. Curieusement, le lait n'est pas un problème le soir ou au goûter. Comment expliquer qu'elle le supporte à certaines heures de la journée et pas à d'autres ?

Mes suggestions :

Votre fille a plus de difficulté à digérer le lait le matin, elle n'est pas la seule. Le lait au réveil peut provoquer des nausées terribles. En effet, chez certaines personnes, les enzymes chargées de digérer le lactose (sucre) du lait sont moins efficientes au réveil. Elles s'activent progressivement au fil de la journée. Le système digestif se met en route lentement.

Changez de lait, votre fille supportera probablement très bien un lait allégé en lactose. Faites l'essai. Toutes les grandes marques en fabriquent. Si le problème persiste, elle peut aussi remplacer le verre de lait par un yaourt. Le yaourt, lait fermenté, contient peu de lactose et offre un meilleur confort digestif.

Reste la question de l'apport en calcium. Un yaourt équivaut-il à un verre de lait ? Sachez que la teneur en calcium du yaourt est la même que la teneur en calcium du lait (dans les deux cas, elle est de 1 200 mg de calcium par litre). Seulement, lorsqu'un enfant boit un verre de lait, il boit en général l'équivalent de 250 ml de lait. Tandis que le volume d'un yaourt classique n'est que de 125 ml. En somme, un yaourt classique contient 150 mg de calcium, tandis qu'un grand verre de lait contient 300 mg de calcium. Le double ! Voilà pourquoi certains nutritionnistes ont tendance à recommander le lait de préférence au yaourt. Mais si votre fille mange deux yaourts, c'est strictement équivalent. Vous pouvez aussi lui proposer du yaourt à boire !

CAS N° 2 : Des crêpes au petit-déjeuner ?

Les marques de surgelés proposent pour le petit-déjeuner des produits faciles à préparer : crêpes, pancakes, gaufres ou viennoiseries. Mon fils en raffole. Je lui en sers tous les matins et suis rassurée de le voir partir à l'école tout à fait rassasié. Je sens bien que je fais plaisir à mon fils mais mon premier souci, c'est de le nourrir correctement. Que faut-il penser de ces produits ?

Mes suggestions :
Deux questions se posent dans le cas de votre enfant :
1. Pourra-t-il attendre le déjeuner sans avoir faim même s'il se sent rassasié après son petit-déjeuner ?
2. La qualité nutritionnelle de ces produits de panification est-elle satisfaisante ?
On est rassasié dès lors qu'on n'a plus faim à l'issue d'un repas. La satiété, elle, est la faculté de pouvoir attendre le repas suivant sans ressentir la faim. C'est le vrai but d'un solide petit-déjeuner. Ces aliments, crêpes et gaufres, qu'il adore, dites-vous, contribuent sans doute à son rassasiement, mais ne lui apportent pas nécessairement la satiété.

Posez-lui tout simplement la question. S'il vous dit qu'il a très faim vers 11 heures du matin, il faut changer de menu au petit-déjeuner.

Qu'en est-il de la qualité nutritionnelle de ces produits ? Ils sont gras et caloriques. Donc il ne faut pas en abuser. L'équation pain-beurre-confiture-lait demeure la proposition optimale, elle apporte à l'enfant glucides, vitamines, protéines, calcium et lui permet de tenir toute la matinée. Mon conseil : variez les plaisirs.

CAS N° 3 : Une barre de céréales dans le cartable ?

Pour éviter que mon fils n'ait faim au fil de la journée, je mets une barre de céréales dans son cartable. Mais je préférerais qu'il mange tranquillement un bol de céréales au moment du petit-déjeuner. La barre de céréales peut-elle remplacer le petit-déjeuner ?

Mes suggestions :

L'intérêt principal du bol de céréales, c'est le lait que l'on verse dessus. Les barres de céréales sont pratiques à transporter mais le rassasiement qu'elles procurent n'est pas toujours suffisant : la faim continue de tenailler. Vous aurez d'ailleurs remarqué que certains enfants peuvent en manger deux ou trois d'affilée.

Dans la gamme des aliments transportables, je préfère un morceau de pain accompagné d'un petit fromage. Les conditionnements proposés aujourd'hui sont extrêmement commodes. Donnez-lui une de ces portions individuelles de fromage (de type Babybel ou gruyère). Une compote en tube peut être glissée dans le cartable. Cet en-cas lui apportera protéines, calcium et glucides et lui donnera de l'énergie pour toute la matinée.

À la maison, préférez le bol de céréales avec du lait. Autrefois, la tartine de pain était un prétexte pour consommer du lait. On la trempait dans un bol de lait. De la même manière, aujourd'hui, les céréales sont un prétexte pour en faire consommer aux enfants. Rappelons-le : l'aliment essentiel pour l'enfant, c'est le lait.

Aussi, pour le petit-déjeuner à la maison, mieux vaut privilégier les céréales aux barres de céréales. Cette dernière doit être un pis-aller quand on ne peut pas faire autrement, que le réveil n'a pas sonné ou qu'on est en rupture de stock !

Chapitre 3

De douze à dix-huit ans :
la transmission en fond sonore

Vous avez un adolescent à la maison ? Vous vous sentez déboussolé ? Haut les cœurs, ne déprimez pas !

L'objectif ? Maintenir le lien. À tout prix. Cette ambition peut vous sembler une révision à la baisse de toutes les résolutions formulées jusqu'ici concernant l'éducation gustative des enfants. Pas du tout ! Maintenir le lien avec un adolescent, c'est déjà considérable, c'est même un accomplissement de haute volée, un exploit, une victoire. Une promesse pour l'avenir.

Le déclic

L'adolescence est un sas complexe, une zone floue. L'examen de passage est d'autant plus subtil qu'il existe autant de types d'adolescences qu'il y a d'adolescents. Pourtant, c'est précisément le moment où la transmission cristallise. Tous les efforts passés sont sur le point d'aboutir. Ils vont bientôt se concrétiser dans le comportement du jeune adulte. L'adolescence est une étape de consolidation de la transmission.

Les parents dépités sont convaincus qu'ils parlent dans le vide ; les enfants bravaches jurent qu'ils feront l'inverse de ce qu'on leur recommande. Et pourtant, un rapprochement s'opère, très exactement à ce moment-là, indépendamment et en contradiction complète avec toutes les déclarations proférées à la maison. Les chemins de la transmission vous apparaissent brouillés. Gardez toutefois en mémoire qu'elle ne s'interrompt pas : elle intervient en *back up* et continue de guider l'enfant, de loin, dans les balbutiements de sa vie d'adulte.

Parmi mes jeunes patients, certains me consultent depuis leur tendre enfance. Nous nous fréquentons régulièrement depuis six, sept, huit ans. Pendant des années, nous partageons, ensemble, leurs problèmes de surpoids et de difficulté à équilibrer l'alimentation. Leur passage à l'adolescence est chaque fois, pour moi, un moment de grande émotion. Ce qui s'opère est extraordinaire. Quelque chose se déclenche.

Pour un grand nombre d'entre eux (à condition qu'ils aient réussi à ne pas trop grossir et à stabiliser leur prise de poids), les problèmes de surpoids se règlent presque du jour au lendemain. Arrivés à l'adolescence, ils sont enfin payés de leurs efforts. Subitement, le ciel s'éclaircit. Ils se mettent à maigrir. Pourquoi ? Pour la simple raison qu'ils prennent leur vie en main. À l'approche de l'âge adulte, ils ont désormais intégré tout ce que leurs parents ont transmis pendant des années. Or, ceux-ci n'ont rien transmis d'autre que ce qu'ils sont : leur comportement alimentaire naturel et les règles qu'ils ont voulu leur apprendre. D'un coup, l'enfant trouve les armes et la maturité pour s'affranchir des usages inculqués ou tout au moins les concilier avec ses besoins personnels. Et, comme par miracle, il découvre un équilibre alimentaire qui lui convient.

Il y a dans la transmission un long parcours durant lequel les parents s'évertuent à donner des informations, enseignent des principes, expriment leurs désirs, font figure d'exemple. Et puis survient un moment où l'enfant s'empare de toutes ces données, les fait siennes, et les digère en les adaptant à sa propre personnalité. Le problème de poids, qu'il considérait jusque-là comme extérieur à lui-même, devient son affaire. Avant, il avait du mal à réagir, il se nourrissait mal, il se nourrissait trop, comme s'il n'y avait pas de relation directe entre l'acte de manger et les conséquences de cet acte sur son propre corps. Le souci de maigrir répondait à une discipline venue d'ailleurs, d'en haut, des parents ou du médecin. Discipline qu'il transgressait volontiers, même s'il souffrait d'être gros.

Et puis, un jour, l'enfant décide de s'occuper de lui-même, prend conscience que, lui plus que quiconque, est habilité à le faire. Dès lors, il maigrit facilement, d'autant qu'il est en pleine croissance et peut donc recueillir assez rapidement les résultats de ses efforts.

La soudaineté de ce phénomène dépend de la psychologie de ce jeune patient et de son contexte familial. Tout n'est pas toujours aussi rose car certains enfants trouvent des « bénéfices secondaires » à rester ronds. Certains voient dans leur corpulence une protection contre les autres. S'ils venaient à se battre avec leurs camarades, ils auraient « plus de poids », ils seraient « plus forts ». Pour d'autres, leur corpulence est le moyen d'attirer sur eux le regard de leurs parents. Le problème de poids leur permet de focaliser l'attention familiale. Les menus sont conçus en fonction d'eux, ils sont au centre. Dans ce cas, je conseille une thérapie familiale, souvent plus utile qu'un régime. Ces enfants trouvant des « bénéfices secondaires » à être gros ne jouiront pas toujours de l'effet déclencheur de l'adolescence décrit plus haut. Il faudra attendre des jours plus propices à une nouvelle démarche psychologique et/ou nutritionnelle.

Enfin, une troisième catégorie d'enfants (ils sont une minorité) ne sont pas aidés par leur patrimoine génétique. Ils ont une sérieuse tendance à l'embonpoint et beaucoup plus de mal à maigrir que les autres. On ne lutte pas facilement contre cette infortune. Pour perdre du poids, l'adolescent est alors obligé de se soumettre à un cadre rigide et restrictif et de pratiquer une activité physique. Cette austérité est difficile à supporter, on le comprend bien. Néanmoins, c'est aujourd'hui pour lui l'unique moyen de lutter contre la prise de poids.

Mais, encore une fois, pour la majorité des sujets, l'adolescence est une période propice à la perte de poids car avec un peu de volonté, on peut, grâce à l'effet conjugué de la croissance qui s'effectue à ce moment-là, maigrir rapidement.

Tenez bon !

Contrairement aux apparences, l'adolescence est une phase structurante, très dynamique. Mais l'adolescent qui se « révolte » a besoin de trouver du répondant en face de lui. Parfois, les parents renoncent, par lassitude. Je vois des mères épuisées pousser la porte de mon cabinet dans un ultime appel au secours. Si elles sortent de consultation avec le courage de persévérer, c'est gagné !

Ne perdez jamais pied, surtout n'abandonnez pas la partie. La meilleure attitude, face à un adolescent, consiste à répéter avec la même conviction ce que l'on a toujours dit. Même si l'on est peu payé en retour, il s'agit d'être persévérant et de continuer à fournir l'exemple qui nous semble le bon. Et ce n'est pas toujours simple !

On ne le dira jamais assez, le repas familial est un outil extraordinaire de transmission et en particulier de transmission alimentaire. Il est vital de maintenir ce rendez-vous. Dans le maelström de l'adolescence, il demeure le seul repère qui vaille, un point stable au sein de la désorganisation générale orchestrée par l'adolescent.

Quelles que soient l'intensité de la révolte, l'épaisseur de l'indifférence, la brutalité des heurts, partager un dîner permet de préserver le lien entre les générations, même s'il est conflictuel. Du reste, plus l'adolescent se révoltera contre les injonctions familiales, et plus il en intégrera les grands principes. Il va s'éloigner du modèle parental pour mieux y revenir ensuite, à sa façon. La lutte est porteuse de résultats…

Certes, ce n'est pas facile tous les jours. Qui est passé par là sait à quel point il est décourageant de se heurter à l'opposition systématique d'un adolescent. On éprouve le sentiment paniquant que tous les efforts fournis pendant treize ans, jour après jour, par soi-même comme par son enfant, sont pulvérisés. C'est le black-out complet, on ne sait plus comment s'y prendre, on ignore d'où viennent les coups. Le repas familial devient un terrain de boxe. Tant d'application pour en arriver au néant ! Toutes ces années, on a eu le sentiment d'être compris, on a trouvé des terrains d'entente et subitement, plus rien. L'incompréhension est totale et mutuelle. Pourquoi continuer ?

Les mots pour le dire

La transmission du goût débute avec cette phrase ancestrale : « Une cuillère pour maman, une cuillère pour papa… » Puis le discours se précise (« Allez, encore trois bouchées et tu peux prendre ton dessert. »), il se durcit éventuellement (« Je veux que tu finisses ton assiette »), s'aventure sur le terrain de la complicité (« Tu goûtes, au moins. Si tu n'aimes pas, tu laisses »), actionne la fibre sentimentale (« Goûte une bouchée, pour me faire plaisir »). Et maintenant, face à l'adolescent, alternativement, on cède aux sirènes du renoncement (« Je te sers, mon chéri ? Non ? D'accord. ») ou alors, on s'emporte

(« Tu peux au moins répondre, quand on te parle ! Je te sers ? Non ? Bon ben dis-le ! »)

À chaque âge, son vocabulaire. À table surgissent des « trop pas », des « kiff », des « mortel », des « mito », des « truc de ouf ». Qu'à cela ne tienne, c'est peut-être le moment de tenter un rapprochement en proposant à votre adolescent de goûter des épinards à la crème « trop bons », quitte à s'entendre répondre, pour tout compliment : « C'est chelou ».

Tout adolescent brûle de développer sa propre personnalité. C'est légitime et indispensable. Il crève d'envie de s'affranchir du cercle familial. Il rêve d'un autre monde. Voilà pourquoi il veut casser les habitudes et les codes. Avec une brutalité plus ou moins acceptable, l'adolescent s'applique à couper les ponts. Il n'a qu'une seule idée en tête : se distinguer de ses parents. Dans ces conditions, lui parler de rituel culinaire, de transmission alimentaire, de perpétuation de quoi que ce soit, c'est l'assurance de se heurter à un mur. Cette étape prend le visage, dans le meilleur des cas, d'une hostilité ouverte de la part de l'enfant, dans le pire des cas, d'une indifférence butée assortie d'une morgue magistrale. Quel que soit le cas de figure, les conseils prodigués semblent tomber à plat. On a l'impression désagréable de prêcher dans le désert. Aucune proposition n'est gratifiée de résultats. Autant s'adresser à une carafe. Le cauchemar commence. On va passer quelques années à encaisser les coups. Épreuve cruelle mais incontournable.

À cela s'ajoute un phénomène propre aux parents qui, convaincus d'arriver au terme du processus de transmission, brûlent leurs dernières cartouches. Pile au moment où l'enfant se ferme, les parents redoublent de babils agaçants avec le sentiment que c'est la dernière chance, qu'il faut profiter à tout prix des derniers moments passés ensemble. On a encore son enfant sous la main alors on s'empresse de communiquer ultimes conseils, messages et mises en garde. Paradoxe plutôt burlesque : les parents redoublent de recommandations à l'adresse d'un individu qui, de toute évidence, n'écoute plus rien de ce qu'on lui dit. C'est la confrontation de deux logiques incompatibles. Inéluctablement, la mécanique s'enraye.

Et pourtant, la transmission continue, à bas bruit. En apparence, l'adolescent écoute tout le monde sauf ses parents, il se montre perméable aux modes, poreux à l'influence de ses camarades, veut user du début d'indépendance financière à laquelle il vient d'accéder pour faire ses propres choix : McDonald's et panini à tout va... Ne vous affolez pas ! C'est ainsi qu'il dessinera sa personnalité. De la même façon que, désormais, il écoute sa musique, choisit ses fringues, ses copains, il entend décider par lui-même de ce qui est bon à manger et de ce qui ne l'est pas. Les conseils parentaux passent à l'arrière-plan ; comme un fond sonore, une musique d'ascenseur.

Ne pensez surtout pas qu'il n'en restera rien. Celui qui n'écoute pas peut entendre... En l'espèce, tout au long de ce moment de grande perturbation qu'est l'adolescence, mieux vaut un dialogue de sourds qu'un silence de mort. Persistez sans en faire trop !

LE SAVIEZ-VOUS ?

1 : Maigrir avant l'âge adulte peut être un jeu d'enfant.

Maigrir avant l'âge adulte est beaucoup plus facile car la croissance est très consommatrice d'énergie.

La dépense énergétique peut atteindre 3 000 kcal par jour chez l'adolescent. Alors que chez l'adulte, elle s'établit autour de 2 200 kcal.

Une adolescente dépense en moyenne 2 150 kcal par jour, contre 1 800 chez une femme adulte.

S'il en profite pour réguler un peu ses apports énergétiques, l'adolescent bénéficie d'un double effet très favorable à la perte de poids.

Pour un adolescent de quatorze ans pesant 50 kg pour 1,63 m et ayant une activité physique faible, la dépense énergétique est environ de 2 400 kcal par jour.

Le même adolescent, s'il est très sportif, va dépenser jusqu'à 3 250 kcal par jour. On mesure bien l'intérêt de cette activité physique chez un adolescent ayant un surpoids pour aider l'amaigrissement (à condition qu'il n'augmente pas ses apports alimentaires).

Chez une jeune fille de 45 kg, la dépense énergétique varie de 1800 à 2500 kcal par jour selon qu'elle est plus ou moins sportive.

Le bénéfice du sport pour maigrir est moins net chez l'adulte mais lui permet de mieux stabiliser son poids. La dépense énergétique ne dépassera pas 2 300 kcal par jour chez l'adulte sédentaire à faible activité physique. Donc, pour ceux qui ont

des problèmes de surpoids, l'enfance et l'adolescence sont un moment favorable pour maigrir,
profitez-en !

2 : Obésité, état des lieux

Bonne nouvelle : l'obésité de l'enfant se stabilise
depuis deux ans. La prévalence du surpoids et de
l'obésité chez l'adolescent, selon les régions, se
situe aujourd'hui en France entre 11 et 14 % de la
population de dix à dix-huit ans. Il y a encore une
tendance plus nette à l'obésité chez les filles que
chez les garçons, notamment dans les zones d'éducation prioritaire. Quant au comportement alimentaire des jeunes, il est caractérisé par un grignotage
plus fréquent chez l'adolescent en difficulté pondérale que chez celui qui a une corpulence normale.
    Comment expliquer cette amélioration des statis-
tiques ? Plusieurs raisons :
    1. Le surpoids et l'obésité sont devenus une pré-
occupation des parents qui consultent plus facilement leur médecin traitant ;
    2. De très nombreuses initiatives pour lutter
contre cette maladie chez les enfants ont été sou-
tenues par des villes de taille moyenne ;
    3. La médecine scolaire s'implique de plus en
plus dans des actions de prévention.

QUE FAIRE, DOCTEUR ?

CAS N° 1 : Les régimes des ados : des rêves de magazines.

Ma fille n'a jamais été grosse. Elle s'est toujours nourrie correctement. Mais depuis l'adolescence, elle est convaincue qu'il faut qu'elle perde du poids pour ressembler aux mannequins des magazines. De sorte qu'elle multiplie les régimes amaigrissants avec ses amies. Elle suit religieusement les méthodes les plus farfelues proposées dans les hebdomadaires féminins ou sur les sites Internet. Elle a quinze ans aujourd'hui et le seul résultat tangible de ces régimes à répétition a été une prise de poids non négligeable. Où est l'erreur ?

Mes suggestions :
Il est assez fréquent pour les jeunes filles de prendre du poids juste avant l'adolescence, on l'oublie souvent. C'est un peu comme une réserve d'énergie qui se constituerait en vue d'être utilisée le moment venu, quand elles vont grandir d'un coup et « pousser comme des asperges ». Leur corps utilisera alors les réserves accumulées et elles maigriront très bien. Ce léger surpoids préadolescent, qui n'est plus accepté, entraîne souvent des réactions inadaptées chez les jeunes filles qui se lancent dans des régimes désordonnés.

Soit qu'elles se trouvent rondes, soit qu'elles le soient effectivement, elles choisissent de s'imposer subitement des régimes extrêmement restrictifs. Elles suivent une méthode, puis une autre, puis une troisième. Elles perdent très rapidement le contrôle de leur corps et rompent l'équilibre alimentaire qui était le leur jusque-là.

Concrètement, on a bien identifié les trois étapes de cette perte de contrôle :

1. L'adolescente suit un régime inadapté, beaucoup trop strict pour son âge et perd effectivement du poids.

2. Ce régime n'étant pas adapté à ses besoins énergétiques quotidiens, elle est chroniquement affamée et se met à grignoter entre les repas. Elle avale des quantités déraisonnables de sucres et graisses, elle enchaîne paquets de gâteaux et chocolat, comportement qu'elle n'avait jamais eu avant de suivre un régime amaigrissant.

3. Au final, l'adolescente reprend inévitablement du poids ! Elle grossit rapidement et devient plus ronde qu'avant le régime. Elle a du mal à retrouver le contrôle de son alimentation. Elle s'entiche alors d'un nouveau régime amincissant auquel elle croit dur comme fer et traversera à nouveau les trois étapes décrites. Le poids, qui n'avait jamais été un problème auparavant, devient une source de préoccupation. C'est un cercle vicieux.

Les régimes stricts au long cours, n'en doutons pas, sont nuisibles pour les jeunes gens qui n'ont pas de problèmes de poids. La perte de contrôle de l'alimentation provoque souvent des troubles psychologiques douloureux. Il m'est arrivé de voir des jeunes qui avaient perdu confiance en eux, qui avaient honte de leur corps au point de renoncer à toute vie sociale. Il nous faut absolument dissuader les adolescents de suivre des régimes. Si le mal est fait, consultez votre médecin qui pourra les aider à retrouver une alimentation saine et équilibrée et tout reviendra dans l'ordre... à condition d'oublier les régimes.

CAS N° 2 : Influences croisées

Mon fils a douze ans. Il est gourmand et a une sérieuse tendance à grossir. Il en souffre car c'est un grand séducteur. Il aimerait plaire davantage aux filles... Son père est un bon vivant qui mange beaucoup. Cela fait partie intégrante de sa personnalité. Moi, je suis mince et mange raisonnablement. J'ai l'impression d'être la gardienne de la bonne conduite à la maison. Mais il me semble que la transmission doit venir des deux parents. Et parfois, je me demande comment mon fils pourra résoudre son problème de poids, confronté à l'influence un peu contradictoire de son père et de sa mère.

Mes suggestions :

Restez vous-même. C'est la meilleure façon de transmettre. Il est évident que votre garçon est pris entre deux feux. D'une part, le désir de ressembler à son père, avec un bon coup de fourchette et le goût des bonnes choses. D'autre part, le désir de satisfaire sa mère en ayant un comportement alimentaire maîtrisé. Mais un troisième désir va interférer : celui de séduire. À l'adolescence, c'est ce désir-là qui primera. Et votre fils sera parfaitement capable de composer en même temps avec les acquis de la transmission de son père et de sa mère.

Certains de mes jeunes patients ont lutté des années pour maigrir sans jamais y parvenir. À tous, j'explique que l'important, c'est de ne pas grossir. Je les aide à maintenir leur poids. S'ils y arrivent, je sais qu'un jour, la tendance va s'inverser. Il faut juste être patient. Et un jour – cela se passe souvent au moment de l'adolescence –, ils montent sur la balance et on constate ensemble qu'ils ont maigri. À partir de là, l'aiguille s'en va dans l'autre sens. C'est extraordinaire pour eux, pour leurs parents et pour moi. Cela coïncide avec le moment où le désir de l'enfant émerge. Il se détache de ses parents, il veut construire sa propre image et cette aspiration lui permet de contrôler ses tentations, notamment sa gourmandise.

Je ne doute pas qu'il se produira bientôt la même chose pour votre fils : le désir de séduire l'emportera sur l'envie de manger.

CAS N° 3 : Élargir la palette du goût : faites un tableau !

Mon fils est entré récemment dans l'adolescence et il a une palette de goût très restreinte. Il mange essentiellement de la viande, des féculents et du pain et s'est mis à grossir. Que puis-je faire pour l'aider car il désire perdre du poids ?

Mes suggestions :

Certains enfants traînent jusqu'à l'adolescence, voire au-delà, leur rejet pour un grand nombre d'aliments. C'est un comportement résiduel qui trouve son origine dans la période de néophobie alimentaire, normalement cantonnée entre deux et dix ans. Passés dix ans, ces réactions de néophobie alimentaire deviennent un handicap nutritionnel.

N'oublions pas que l'être humain est un omnivore. À l'adolescence, il est au sommet de ses besoins nutritionnels que seule une alimentation variée pourra satisfaire.

L'une des solutions, notamment entre dix et douze ans, et qui demande sa collaboration active, est de faire des exercices aliment par aliment.

Prenez un légume et proposez-lui de le cuisiner avec vous. Demandez-lui, en lui proposant un choix, quels ingrédients il voudrait marier avec le légume choisi. Faites-lui goûter. Une autre fois, prenez le même légume préparé avec un autre ingrédient. Vous trouverez à coup sûr, ensemble, une préparation de légumes qui sera à son goût ! Son alimentation va s'élargir, permettant une réduction des apports caloriques en consommant plus de légumes.

Chaque aliment devra être testé quinze fois et dans un tableau, l'enfant notera lui-même, sur une échelle de 0 à 10 s'il a aimé « un peu », « beaucoup », « à la folie », « pas du tout ». La note permet d'observer la progression et de s'approprier de nouveaux aliments pas à pas.

Entre fourchette et stylo, vous trouverez une solution pacifiée à ce qui est trop souvent vécu sur le mode du conflit familial.

Chapitre 4

Et si la transmission alimentaire commençait avant la conception ?

Entrons dans le monde fantastique de l'épigénétique

Qui aurait pu imaginer que l'on puisse exercer la moindre influence sur le comportement alimentaire d'un enfant avant même que ses propres parents ne se soient rencontrés ?

Sommes-nous en pleine science-fiction ? Où sont nos lunettes 3D ?

Eh bien, non, pas de fauteuils de cinéma, nous sommes simplement dans le monde fascinant de l'épigénétique, un domaine qui vient petit à petit enrichir celui mieux connu de la génétique.

Il est temps pour nous de réviser nos croyances. Tout n'est pas gravé dans le marbre !

Nous connaissons tous la différence entre l'inné (les traits hérités de nos parents, transmis par les gènes) et l'acquis (les traits résultant de notre propre vie). Or il apparaît que notre mode de vie est capable de jouer sur le fonctionnement de nos gènes eux-mêmes. Et plus encore, quand une modification survient chez l'un d'entre nous, elle arrive même à se transmettre aux générations suivantes ! Notre mode de vie et notre alimentation pourraient-ils être responsables de la santé et du bien-être de nos petits-enfants et arrière-petits-enfants ?

*Entrons dans le vif du sujet
avec l'expérience des mères hollandaises*

Durant la Seconde Guerre mondiale en Hollande, un hiver rude et un embargo alimentaire ont créé les conditions d'une vraie famine. Malgré celle-ci, des femmes ont réussi à mener à terme leurs grossesses, donnant naissance à des bébés relativement petits. Après-guerre, les enfants ont grandi dans une certaine prospérité. Devenus adultes, ils ont fait des enfants et, ô surprise, ces enfants étaient étonnamment petits.

Le manque de nourriture des grands-mères s'était donc répercuté sur les petits-enfants. Une transmission a bien eu lieu, la transmission d'un manque. Mais ne s'agirait-il que d'une spécificité hollandaise ?

L'expérience britannique

Transportons-nous, avec le docteur David Barker (épidémiologiste britannique) dans le Nord de l'Angleterre et plus particulièrement dans deux régions historiquement pauvres.

Dans les années 1920, la mortalité infantile y était particulièrement élevée. Cela s'explique par des conditions de vie difficiles. Dans les années 1990, malgré la persistance de la pauvreté dans ces régions, le docteur Barker observe de nombreux décès dus à des maladies cardiovasculaires. Or on meurt beaucoup du cœur dans les sociétés riches, pas dans les pauvres !

Là encore, le manque de nourriture des mères du début du siècle semble bien s'être répercuté sur leur

descendance, témoignant d'une transmission génération-
nelle.

Si je ne vous parle que de ces femmes, de leur mode
de vie et de leur alimentation, est-ce parce que l'épigénétique n'est qu'une histoire de mères ? Eh bien, non !
Les futurs pères sont eux aussi concernés. Leur matériel
génétique est également capable de se modifier sous
l'effet de leur propre environnement et ces modifications
susceptibles de se transmettre à leur descendance.
Non, Messieurs, la nature ne vous a pas oubliés ! On
ne peut pas toujours rejeter les fautes sur cette bonne
Ève.

Continuons avec les souris Agouti

Le pelage des souris Agouti peut avoir plusieurs couleurs en relation avec l'expression de différents gènes
dont le plus intéressant (pour le chercheur) se nomme
Agouti, d'où le nom de nos souris.
Quand le gène s'exprime (autrement dit, quand il est
actif), les souris sont de couleur jaune, quand il est en sommeil, le pelage est brun. Il peut même exister un joli
dégradé de couleurs reflétant divers niveaux d'activité du
gène. Mais mieux vaut être brune que jaune : la jolie couleur jaune est trompeuse car être jaune pour une souris
Agouti signifie avoir une tendance particulière à développer
une obésité, un diabète ou un cancer. Quand on est brune,
on est plus mince et sans risque particulier. Le brun, c'est
moins lumineux, mais meilleur pour la santé !

Maintenant que nous les connaissons, jetons notre
dévolu sur un lot de souris Agouti sœurs et enceintes.
Séparons-les en deux groupes. Modifions l'alimentation
habituelle d'un seul des groupes. Créons, non plus une

situation de famine mais au contraire, enrichissons leur nourriture avec de la vitamine B12 et de l'acide folique (il s'agit pour le chercheur de favoriser la voie de la méthylation[1] de l'ADN) et attendons la naissance des petits.

Les voilà ! Les deux groupes sont de couleurs différentes ! L'un est majoritairement jaune et l'autre brun. De quel groupe avons-nous modifié l'alimentation ? Le brun.

On continue ? Faisons faire des petits à nos jeunes souris brunes, mais cette fois, sans enrichir leur alimentation et regardons la couleur des petits. Le brun domine encore !

La transmission transgénérationnelle a, là aussi, été à l'œuvre mais cette fois, dans un sens favorable.

Que nous disent encore ces souris Agouti ?

Que la qualité de notre alimentation est capable de modifier l'activité de nos gènes, ce qui peut nous protéger de certaines maladies ou au contraire en favoriser l'apparition, et que ces modifications se transmettent aux générations suivantes. Ce que ne nous disent pas nos souris, mais qu'on apprend grâce à d'autres modèles (animaux ou végétaux), c'est que les modifications apparues sous l'effet de notre alimentation ou de notre mode de vie sont le plus souvent réversibles si l'on inverse le sens de notre environnement alimentaire ou de notre façon de vivre. Bref, nous sommes adaptables ! Rien n'est perdu.

*Faisons un pas de plus dans ce monde fascinant :
les vrais jumeaux*

Ils sont issus d'un seul œuf et possèdent donc les mêmes gènes. Ils sont à l'origine copie conforme. Pourtant, ils ne vont pas obligatoirement, durant toute leur existence, avoir les mêmes modes de vie ni se nourrir de la même

---

1. La méthylation consiste à ajouter un composé chimique à l'ADN.

façon. Les maladies qui peuvent en découler seront donc différentes.

Cela nous montre le poids majeur, au-delà de la programmation génétique, de notre environnement et, en particulier de notre alimentation, sur l'apparition de maladies comme le cancer mais aussi sur des traits comme le vieillissement ou la longévité.

Quels conseils pour les futurs mères et pères ?

Nous sommes très désireux de savoir quoi manger.

Comment éviter l'apparition des maladies inhérentes à notre société ?

Du chou ? Des myrtilles ? Du cresson ? Des grenades ? La liste est longue...

En pratique, c'est une question à laquelle il est très difficile de répondre. Pour le savoir, accepteriez-vous, comme nos souris Agouti, d'être nourris chaque jour et pendant de longs mois, d'un même aliment ?

Des informations nous viendront peut-être de grandes études de populations comme celle appelée EPIC. Menée en Europe, elle englobe un demi-million de personnes issues de dix pays et s'intéresse aux liens entre alimentation et cancer. Alors, en attendant, ne doit-on rien faire ? Faut-il renoncer pour autant ?

Le bon sens nous dit que, si l'on déguste la vie sans la brûler par tous les bouts, c'est bon pour la santé. Écoutons-le, faute de plus de données scientifiques.

Il est toutefois un domaine que l'on connaît mieux, c'est celui de l'alimentation et de la grossesse. Que dire aux futures mères et aux futurs pères ?

Aux pères, de se sentir concernés ! Leur mode de vie n'est pas sans effet sur le futur enfant.

Aux mères que, durant les mois de grossesse, il n'est pas question de manger comme un oiseau pour ne pas prendre de poids, ni, à l'inverse, de manger pour deux[1].

Rappelez-vous la famine des femmes hollandaises et leurs bébés étonnamment petits. Une prise de poids trop importante pendant la grossesse n'est pas non plus souhaitable. Elle fait courir des risques à la mère (diabète gestationnel, hypertension gravidique, césarienne) comme à l'enfant (un bébé qui naît trop gros risque de développer une obésité en quelque sorte préparée dans le ventre de sa mère).

En pratique, l'apport énergétique quotidien pour une femme enceinte ne doit être ni inférieur à 1700 kcal, ni trop excessif. En somme, il s'agit, pendant la grossesse, de manger quasi normalement (une femme vivant en ville mange en moyenne 1800 kcal par jour).

La qualité de l'alimentation maternelle est aussi un élément majeur dont il faut nous préoccuper. Nous savons tous quelle doit être riche en calcium (produits laitiers) pour protéger les os maternels et ceux du fœtus. Elle doit également être riche en protéines d'origine animale (viande rouge à manger bien cuite), en fer, vitamines et minéraux. On portera aussi une grande attention à l'apport en acide folique comme pour les souris Agouti ! Il n'est pas question ici de changer la couleur des poils mais d'assurer une bonne fermeture du tube neural (canal de la moelle épinière en formation). Cette fermeture arrive tôt pendant la grossesse : dès le 28e jour. Il est donc important de s'assurer, avant la grossesse, du statut en acide folique de la future mère et de la supplémenter tout au long de la grossesse, ce que font les gynécologues. On diminue ainsi les risques de

_____

1. Voir Le saviez-vous ? n° 2, p. 109 : *Prise de poids pendant la grossesse.*

100

prématurité. Les folates étant assez répandus dans la nature (betterave, chou, haricots verts, épinards, laitue, petits pois, foie de veau), une alimentation variée comble généralement le besoin en acides foliques.

Que faire si on est déjà ronde ou en surpoids avant la grossesse ?

Cette situation est plus fréquente que l'on ne pense. Les études épidémiologiques menées en France (Obépi[1], Eden[2]) nous montrent que, désormais, près d'une femme sur cinq serait déjà ronde ou en surpoids avant la grossesse, le phénomène s'étant accentué au cours du temps. Alors, que faire ? Perdre un peu de poids avant, s'il est encore temps. Les gynécologues y sont très attentifs et collaborent étroitement avec les nutritionnistes pour aider les futures mères à débuter leur grossesse dans les meilleures conditions. Puis, durant les neuf mois de grossesse, surveiller étroitement l'alimentation maternelle afin de ne prendre que les kilos nécessaires, et pas plus. Une suralimentation majorerait d'autant le risque d'obésité chez l'enfant.

En conclusion, que dire aux futurs parents ?

Faire un enfant est un bonheur et une responsabilité. Le mode de vie et l'alimentation des parents peuvent avoir un impact sur les générations futures. Ne vous trompez pas de fourchettes !

1. Obépi : enquête épidémiologique nationale sur le surpoids et l'obésité menée tous les trois ans (Inserm/TNS Healthcare/Roche).
2. Eden : http://eden.vjf.inserm.fr.

Tous les bébés du monde ont une préférence marquée pour la saveur sucrée et rejettent ce qui est acide ou amer. Les biologistes considèrent ces réactions comme une prédisposition génétique relevant de l'inné. En effet, le nouveau-né sait d'emblée reconnaître les cinq saveurs fondamentales : sucré, salé, amer, acide et umami[1]. Comment le sait-on ?

Prenons un groupe de nouveau-nés et faisons-leur goûter des solutions aux saveurs différentes. Observons leur mimique faciale et comparons le volume ingéré de chacun des liquides proposés. Le bébé qui goûte une solution sucrée en absorbe une belle quantité ; il se lèche les lèvres et parfois sourit. C'est le bonheur ! Le même bébé qui goûte une solution amère, dès la première goutte, abaisse les coins de sa bouche, cligne des yeux, agite la tête et salive. Il manifeste son déplaisir. Tous les bébés du groupe réagissent de la même façon.

Pour nos biologistes, ces réponses seraient spontanées et s'expliqueraient en termes d'évolution. L'aversion pour l'amer serait liée au fait que, dans la nature, les substances amères sont souvent toxiques. L'appétence pour le sucre reposerait, elle, sur l'instinct de survie du bébé qui, dans les premiers mois de son existence, se nourrit exclusivement de lait maternel à dominante sucrée.

Le goût ne serait donc qu'une affaire génétique ? La variété de notre palette de goût, le résultat de l'expression des gènes de notre père ou de notre mère ? Pas tout à fait. Là aussi, l'épigénétique nous apprend que notre environnement est susceptible de modifier notre goût et ce, avant la naissance, *in utero*.

------

1. Voir Le saviez-vous ? n° 3, p. 110 : *Les cinq saveurs du goût et les bourgeons gustatifs.*

La perception des saveurs précède la naissance. L'apprentissage du goût chez le fœtus est très précoce. En effet, les bourgeons gustatifs[1] se forment chez le fœtus dès la septième semaine, avant les yeux, les oreilles ou les doigts et avant même la différenciation sexuelle. À la douzième semaine, les terminaisons nerveuses sont fonctionnelles. À la treizième semaine, les premiers réflexes de succion apparaissent : la bouche s'ouvre et se ferme et le fœtus avale du liquide amniotique dont il perçoit le goût sucré. On sait aussi que les substances aromatiques de quelques aliments consommés par la mère, comme le chou ou l'anis, se retrouvent dans le liquide amniotique.

L'éveil du goût pourrait donc bien commencer *in utero*. Dans le ventre, en absorbant le liquide amniotique, le fœtus découvrirait une gamme de saveurs proposée par sa mère et apprendrait même à les reconnaître. Et l'on peut alors penser que certaines préférences olfactives et gustatives se manifestant à la naissance résulteraient en partie d'un apprentissage intra-utérin.

Ces découvertes résultent notamment des travaux menés par Benoist Schaal. Il a observé les réponses du nouveau-né à diverses stimulations olfactives : « À l'aide d'un test de choix olfactif, on a pu montrer que le nouveau-né de trois jours s'oriente vers l'odeur de tout liquide amniotique humain de préférence à l'eau. Lorsque l'enfant est confronté à un choix entre son liquide amniotique et un liquide amniotique étranger, il s'oriente vers le premier. Cette discrimination révèle que le fœtus a traité et mémorisé les caractéristiques de son milieu prénatal. »

Benoist Schaal analyse également les réactions du nouveau-né à un arôme introduit dans l'alimentation

---

1. *Ibid.*

maternelle en fin de gestation. « Les réponses olfactives d'enfants dont les mères avaient ingéré de l'anis pendant les deux dernières semaines de grossesse ont été mesurées au cours des quatre premiers jours de vie. Dans un test de choix simultané entre l'odeur d'anis et une odeur témoin, les enfants nés de mères consommatrices d'anis manifestent une préférence pour cette odeur ; ceux qui n'ont jamais été exposés à l'anis *in utero* y sont indifférents. On trouve une illustration extrême de ces mécanismes de construction olfactive dans le syndrome de dépendance que développent les enfants nés de mères consommatrices d'alcool, de tabac ou de drogues durant la gestation [1]. »

Pour conclure donnons la parole à Nathalie Rigal : « En ingérant le liquide amniotique, le fœtus se familiariserait avec certaines odeurs issues de la consommation alimentaire de sa mère. C'est une hypothèse qui n'a jamais été démontrée de manière formelle. En revanche, ce qui est établi scientifiquement, c'est que le fœtus possède des bourgeons gustatifs, autrement dit l'organe du goût. On sait qu'il aime le sucré puisque des travaux ont montré que plus la teneur en glucose dans le liquide amniotique de la mère était importante, plus le fœtus en ingérait. On sait également que les cellules olfactives sont opérationnelles dès le cinquième mois de gestation. Toutefois on ignore encore si l'ensemble des molécules olfactives contenues dans les aliments ingérés par la mère se retrouve en totalité dans le liquide amniotique [2]. »

---

1. « La formation des attentes olfactives : acquisition prénatale et réponse néonatale », in *Médecine et enfance*, vol. 30, hors-série Aspects sensoriels de l'alimentation infantile, textes rassemblés par V. Boggio et B. Schaal, décembre 2010, p. 24.
2. Conférence du docteur Nathalie Rigal, sur « La naissance du goût », donnée en octobre 2002 dans le cadre de la mission Agrobiosciences. Voir Nathalie Rigal, *La Naissance du Goût*, Agnès Viénot Éditions, 2000.

Le goût pour tel ou tel aliment, l'hypersensibilité à telle ou telle saveur pourraient s'expliquer par l'exposition du fœtus à certains arômes marqués. Si l'on trouvait le moyen de faire aimer les légumes verts aux enfants avant même leur naissance, on ferait l'économie d'heures de négociation vouées à convaincre nos petits de manger épinards, haricots et brocolis. Ce serait aussi un bond remarquable en matière de santé publique !

LE SAVIEZ-VOUS ?

1 : Génétique, épigénétique, patrimoine génétique

La génétique est un monde fascinant ! Pour nous guider dans cet univers, nous avons interrogé Claudine Junien, spécialiste française de l'épigénétique, professeur de génétique spécialisée dans les domaines nutritionnels, ancienne directrice d'un laboratoire de génétique Inserm à l'hôpital Necker, aujourd'hui responsable d'équipe à l'Inra de Jouy-en-Josas. Pour nous, elle précise la signification de quelques-uns des termes utilisés dans les domaines de la génétique et de l'épigénétique.

« Le terme *épigénétique* se réfère à tout ce qui est "sur le gène" ("sur" se dit *epi* en grec). L'épigénétique est l'étude des changements héréditaires au niveau cellulaire dans la fonction des gènes, ayant lieu sans altération de la séquence ADN (acide désoxyribonucléique) constitutive des gènes.

Un *gène* est une unité d'information. Le support global de l'information génétique est constitué de longues molécules appelées chromosomes. Les gènes sont donc localisés sur les chromosomes. La lecture des gènes – transcription/réplication de l'ADN en ARN messager (acide ribonucléique) – aboutit à la formation de protéines.

Le terme *code génétique* est souvent utilisé à tort, en lieu et place du terme *patrimoine génétique*. Ce sont deux notions différentes.

Le *patrimoine génétique* est composé de plus de 20 000 gènes hérités des parents.

Le *code génétique* est un alphabet à quatre lettres (C, A, G, T) qui permet de décrypter la réplique ARN de la séquence d'ADN (composées toutes les deux d'acides nucléiques) et de la transformer en protéines (composées d'acides aminés). Chaque triplet (CAG, GAT, CCC, etc.) de ces quatre lettres constitue un code pour un acide aminé particulier (il en existe une vingtaine). La traduction d'un ARN en protéine va donc se faire grâce à une machinerie de traduction qui comprend des petits ARN de transfert. Ces ARN de transfert présentent une séquence leur permettant de reconnaître le bon triplet et qui apporte chacun un acide aminé particulier. Chaque ARN de transfert fournissant ainsi le bon « lego » va donner lieu à la mise bout à bout des bons acides aminés qui constituent la protéine correspondant à l'un de nos 20 000 gènes.

Une *mutation dans un gène* – c'est-à-dire, par exemple, la perte d'un ou plusieurs triplets, ou le changement d'une lettre par une autre – va modifier le message : la protéine résultante sera plus courte ou le changement d'un acide aminé par un autre changera la fonction voire la nature du message. Il peut même ne pas y avoir de protéine du tout.

De la même façon, il existe un *code épigénétique* : des modifications sur la séquence de l'ADN (méthylation de l'ADN) et sur les protéines (histones) associées à cette séquence vont permettre que le gène s'exprime plus ou moins, ou pas du tout.

Chaque cellule de notre organisme possède les mêmes 20 000 gènes en double exemplaire. Ces 20 000 gènes constituent notre *patrimoine génétique* – appelé *génome* – mais dans une cellule, seule une fraction de ces gènes s'exprime en raison des modifications épigénétiques positionnées le long de notre génome. L'ensemble de ces modifications, par analogie, représente l'*épigénome*. Chaque cellule possède son épigénome ; il est fonction du tissu auquel la cellule appartient, du stade de développement, de l'âge, du sexe, de l'état physiopathologique et des influences environnementales actuelles et passées de l'individu.

Les marques épigénétiques sont par essence flexibles, labiles et donc sensibles aux variations de l'environnement. Contrairement à la séquence de l'ADN d'un gène qui est quasiment immuable, les épigénomes évoluent tout au long de la vie et même de la journée, ce qui permet par exemple, en fonction des repas, de mettre en route la digestion et l'assimilation des aliments ou de passer de l'état de veille à celui de sommeil. Les épigénomes sont un mode d'archivage fidèle des impacts de l'environnement, en quelque sorte la mémoire de notre passé.

S'il existe des preuves indirectes de transmission épigénétique sur plusieurs générations, le mécanisme épigénétique impliqué n'est pas encore formellement démontré. Chez l'animal, des *effets transgénérationnels* ont été observés jusqu'à la quatrième génération (notamment chez le rongeur). À ce jour, il en existe quatre exemples. En revanche, l'existence de ces effets transgénérationnels chez l'homme, bien que légitimement suspectée, n'a pas encore été clairement démontrée. Le phénomène le plus fréquemment observé est celui de l'influence de perturbations métaboliques ou nutritionnelles de la mère, ou d'un stress, pendant la grossesse et pendant l'allaitement, sur les phases de développement du fœtus et du nouveau-né. Par l'intermédiaire de modifications épigénétiques, ces perturbations environnementales entravent le bon fonctionnement des gènes et ainsi la formation des tissus et des organes au cours de la vie fœtale et postnatale. Ces altérations peuvent être à l'origine d'une susceptibilité à une maladie. Mais, contrairement à une susceptibilité génétique, cette susceptibilité épigénétique ne sera révélée, plus tard, que par un environnement délétère. Si ces facteurs environnementaux ne surviennent pas, la susceptibilité épigénétique restera "dormante". C'est la raison pour laquelle une susceptibilité établie *in utero* peut être le départ d'un cercle vicieux si la fille impose à son tour le même type de perturbations à son bébé. Mais nous pouvons, grâce à nos choix, à notre style de vie, modifier notre environnement pour rester en bonne santé et enrayer le cercle vicieux. »

2 : Prise de poids
pendant la grossesse

La prise de poids recommandée pour une femme enceinte dépend de sa morphologie. Elle est inversement proportionnelle au poids de départ. Elle s'apprécie par l'IMC[1] avant la grossesse.

Le tableau suivant présente, en fonction de l'IMC de départ, la prise de poids souhaitable pendant la grossesse.

---

1. L'IMC est l'indice de masse corporelle ou indice de corpulence. C'est le poids en kilogrammes divisé par la taille en mètres au carré. L'IMC s'exprime en kg/m².

IMC	PRISE DE POIDS PENDANT LA GROSSESSE	
	Minimum (en kg)	Maximum (en kg)
< 20	12,5	18
20-29,9	11,5	16
> 30	5	9

3 : Les cinq saveurs du goût et les bourgeons gustatifs

Le goût identifie cinq saveurs fondamentales : le sucré, le salé, l'acide, l'amer et l'umami. L'umami (le mot signifie « délicieux » en japonais), a été découvert en 1908 par le docteur Kikunae Ikeda qui a identifié cette saveur dans le dashi, un bouillon traditionnel japonais aux algues kombu. Mais cette saveur existe aussi dans notre cuisine française.

Ces cinq saveurs sont reconnues par notre organisme grâce à des récepteurs spécifiques à chacune. Si les quatre premières nous sont familières, celle de l'umami l'est moins.

Le composant-clé de la saveur de l'umami est le glutamate. C'est un acide aminé largement répandu, mais en très petite quantité dans la nature, ce qui explique que la saveur n'en soit généralement pas perçue. On en trouve dans la viande, le poisson (notamment les poissons gras, maquereau et sardine) mais aussi dans les produits laitiers, le parmesan, le jambon sec, les tomates séchées, les champignons déshydratés. Il est présent en plus grande quantité dans les sauces fermentées asiatiques comme le nuoc mam ou les sauces soja, ce qui contribue à leur donner ce goût particulier.

L'arôme reproduisant au plus près la saveur de l'umami est le monoglutamate de sodium. Il est largement utilisé dans les cuisines asiatiques et en petite quantité par l'industrie agroalimentaire comme exhausteur de goût.

Ces cinq saveurs sont reconnues par les bourgeons gustatifs, groupes cellulaires microscopiques situés dans les papilles. Chaque bourgeon contient entre cinquante et cent cellules. Les bourgeons sont disséminés dans la bouche (langue, palais, et face interne des joues), dans le pharynx, le larynx et l'épiglotte. Nous sommes très équipés pour identifier les saveurs !

QUE FAIRE, DOCTEUR ?

CAS N° 1 : Un enfant obèse et pas l'autre : pourquoi ?

Nous avons deux enfants, une fille de huit ans (Marion) et un garçon de cinq ans (Pierre). Marion souffre, depuis la naissance, d'une franche obésité. Pourtant, elle n'est ni grignoteuse, ni goulue, et ne mange pas plus que la moyenne des enfants de son âge. Personne dans la famille proche n'a de problème de poids. Ni nous, ni nos parents ne sommes gros. Seule une de nos cousines maternelles est obèse.

Mes suggestions :
Tout porte à croire que Marion est fabriquée pour être ronde et qu'il s'agit d'une forme génétique d'obésité.
Je vois trois pistes d'explication possible à sa situation. Son excès de poids pourrait être lié à une mutation inédite dans un des gènes impliqués dans ces formes rares d'obésité massive, comme celle de votre cousine. Il pourrait aussi provenir de la présence d'un assortiment de gènes favorisant l'obésité, assortiment hérité de ses parents – votre mari et vous-même. Troisième hypothèse : ce surpoids serait lié à une modification dans votre environnement, avant ou au cours de la grossesse, ayant provoqué des modifications épigénétiques réveillant ce même type de gènes, dormants chez son père ou sa mère. Mais quelle qu'en soit la raison, rien n'est perdu !
Le plus urgent est de contrôler la prise de poids. Regardez la courbe de poids de Marion, reproduite

Courbe de Corpulence chez les filles de 0 à 18 ans

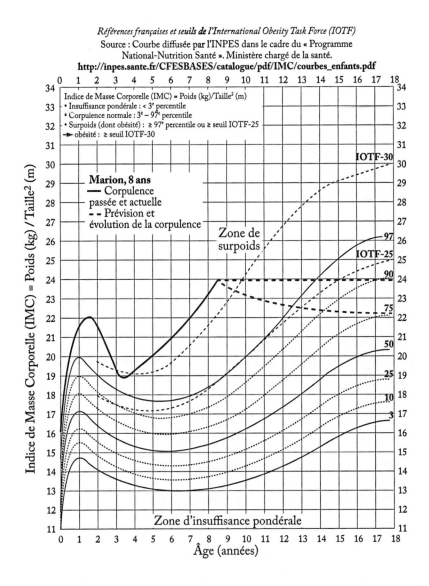

Références françaises et seuils de l'International Obesity Task Force (IOTF)
Source : Courbe diffusée par l'INPES dans le cadre du « Programme
National-Nutrition Santé ». Ministère chargé de la santé.
http://inpes.sante.fr/CFESBASES/catalogue/pdf/IMC/courbes_enfants.pdf

Indice de Masse Corporelle (IMC) = Poids (kg)/Taille² (m)
• Insuffisance pondérale : < 3ᵉ percentile
• Corpulence normale : 3ᵉ – 97ᵉ percentile
• Surpoids (dont obésité) : ≥ 97ᵉ percentile ou ≥ seuil IOTF-25
➤ • obésité : ≥ seuil IOTF-30

Marion, 8 ans
— Corpulence
passée et actuelle
- - Prévision et
évolution de la corpulence

Zone de surpoids

Zone d'insuffisance pondérale

Indice de Masse Corporelle (IMC) = Poids (kg) / Taille² (m)

Âge (années)

113

ci-contre. L'observation de sa courbe de corpulence depuis la naissance nous fournit plusieurs informations. Marion avait un poids normal à cette période. Elle a alors grossi très vite. Dès l'âge d'un an, sa courbe de poids se hisse à un niveau très supérieur à la normale. Puis elle maigrit et apparaît un rebond d'adiposité dès trois ans et demi (il survient classiquement vers six ou sept ans). À partir de l'âge de six ans, la courbe de Marion dans son évolution n'est pas différente de celles des autres enfants du même âge (sur le graphique, sa courbe de corpulence est parallèle aux autres courbes).

C'est une bonne chose. Aussi, si nous parvenons, par de légers changements alimentaires, à maintenir Marion à son niveau actuel de corpulence, sachant qu'elle va grandir, son poids devrait doucement rejoindre la courbe de normalité.

Mon objectif est d'aider Marion à conserver le plus longtemps possible son poids actuel. Pour ce faire, nous allons, ensemble, analyser son alimentation et procéder à des corrections, petites et très progressives. Surtout pas de changements drastiques dans son régime. Ils risqueraient de stimuler le stockage de graisses dans ses cellules adipeuses et d'augmenter son excès de poids dès qu'elle ferait quelques dépassements alimentaires. Il s'agit simplement d'ajuster l'alimentation afin que, sur le plan calorique, Marion mange à sa faim mais un tout petit peu moins qu'aujourd'hui. On va aussi chercher à identifier avec elle les aliments qui lui font plaisir (salés ou sucrés), même s'ils sont très caloriques, et les lui autoriser en en fixant la fréquence dans la semaine ou dans le mois. Pour comprendre quelle est l'alimentation qui calme le mieux la faim de Marion et lui permet de tenir jusqu'au repas suivant, nous allons entreprendre des essais de courte durée (maximum un mois) : un peu plus de protéines ou de glucides ? Nous pourrons ainsi, en fonction des résultats, faire les ajustements souhaitables. Ces modifications ciblées de son alimentation devraient lui permettre, d'ici quelques années, de se stabiliser à un poids agréable.

CAS N° 2 : Je veux un enfant

J'ai vingt-huit ans et j'envisage de faire un enfant. Depuis mes dix-huit ans, j'ai pris du poids progressivement. Ce sont dix kilos que je n'ai jamais perdus. Je pèse aujourd'hui quatre-vingts kilos et mesure un mètre soixante-quinze. Mon gynécologue m'a conseillé de maigrir avant cette grossesse. Pensez-vous que cela puisse se faire assez rapidement ?

Mes suggestions :
Votre gynécologue a raison : entreprendre une grossesse en situation de surpoids peut compliquer son bon déroulement. Vous courez le risque d'une hypertension artérielle, d'un diabète gestationnel voire d'une césarienne précoce entraînant une prématurité du nourrisson.

Il n'est évidemment pas question de maigrir pendant la grossesse mais, au contraire, de prendre les kilos souhaitables pour l'enfant. Aussi, mieux vaut maigrir avant.

Pour m'aider à répondre à votre question, dites-m'en un peu plus sur l'évolution de votre poids ces dernières années.

En quittant la maison de mes parents pour m'installer seule, je me suis mise à manger différemment. J'ai pris quatre kilos. À vingt-six ans, quand j'ai terminé mes études, il a fallu que je m'adapte au rythme du monde du travail. J'ai à nouveau grossi de trois kilos. Puis j'ai rencontré mon mari. Nous vivons ensemble et prenons désormais de vrais repas le soir et c'est un bon mangeur. Ces dîners m'ont apporté encore un peu de hanches (trois kilos supplémentaires) !

Mes suggestions :

Je vous propose d'abord de perdre les six kilos les plus récents, ceux que vous avez pris en entrant dans la vie active puis dans la vie maritale. Nous verrons ensuite ensemble s'il est possible et raisonnable d'aller plus loin dans le cas où vous souhaiteriez retrouver le poids de vos dix-huit ans.

Votre projet de grossesse est une excellente occasion pour réapprendre à manger de manière équilibrée et, surtout, d'une façon qui vous convienne.

De plus, la conception de votre enfant doit absolument coïncider avec un moment où vous êtes pourvue de tous les minéraux, vitamines, oligo-éléments, protéines, glucides et lipides (particulièrement les acides gras essentiels) nécessaires au bon déroulement de la grossesse. Commençons par faire vérifier votre taux de vitamine D dans le sang. Beaucoup de femmes manquent de vitamine D, essentielle pendant la grossesse puisqu'elle renforce l'immunité et intervient dans la constitution du squelette de l'enfant. On va également évaluer le statut en folates et en fer.

En général, les femmes qui, comme vous, désirent un enfant, sont très motivées. Lorsqu'on leur prescrit une nouvelle alimentation, elles la suivent consciencieusement et les résultats ne tardent pas. Pour que je puisse vous proposer l'alimentation la plus agréable possible, notez pendant dix jours tout ce que vous mangez comme aliments, solides et liquides, sans rien omettre. Bien souvent, mes patientes sont les premières étonnées en découvrant le descriptif détaillé de leur alimentation. « Jamais je n'aurais pensé manger aussi mal ! » s'exclament-elles.

À la lumière de ce carnet alimentaire, nous pourrons construire une alimentation agréable et saine qui vous conviendra. Je vous proposerai alors une alimentation moyennement restrictive, sans changement majeur par rapport à vos habitudes alimentaires. Un impératif : ne pas faire trop d'écarts.

Vous pourrez facilement perdre six kilos en deux mois, soit trois kilos par mois, puis vous stabiliser.

Dès le début de la grossesse, le taux calorique de votre alimentation sera relevé. Nous continuerons de nous rencontrer au long de votre grossesse pour surveiller votre prise de poids et aménager votre alimentation. Et tout ira bien !

PARTIE II

DES CLÉS POUR MIEUX TRANSMETTRE

Chapitre 5

Ketchup et pizza : adoptez les aliments de votre temps !

Les gènes, la tradition culinaire régionale, les habitudes familiales, les spécialités maison, sont autant de vecteurs de transmission parents/enfant. Dis-moi ce que tu manges et je te dirai qui tu es. Pourtant, de nombreux mets, totalement étrangers à l'univers familial, surgissent, malgré nous, sur la table de la salle à manger. Quelle est la marge de manœuvre face à de tels ovnis ? Faut-il accueillir ces plats qui, apparemment, détonnent ? Et si oui, comment ?

Pas de transmission en vase clos

La publicité réussit à nous faire rêver à de nouveaux produits et, de manière générale, notre vie sociale influe sur le contenu de nos placards autant que la culture familiale. On ne peut pas vivre en vase clos, ce serait du reste nuisible à l'enfant pour lequel il est indispensable de s'inscrire dans un tissu social. Tout est, ensuite, question de bonne mesure pour qui souhaite perpétuer la tradition familiale sans se couper du monde extérieur tout en assurant une alimentation équilibrée à sa progéniture.

Certains produits, plus que d'autres, symbolisent l'uniformisation alimentaire tant redoutée par les parents engagés dans un processus de transmission personnalisé. Et l'on serait tenté de les proscrire à la maison. Mais c'est une lutte perdue d'avance. Soyons réalistes et souvenons-nous que la transmission est un dialogue, et qu'elle n'est donc jamais aussi opérante que dans le partage et l'échange. Chaque génération apporte sa part dans l'édification d'une culture culinaire familiale. La transmission se danse à plusieurs. Transmettre un code comportemental rigide et fermé aux influences extérieures n'aurait pas de sens. Aussi, les propositions de l'enfant doivent-elles être entendues et, autant que possible, intégrées dans l'univers familial.

D'autant que, rappelons-le, la variété est le chemin le plus sûr vers une alimentation saine. En conséquence, il serait absurde de décider de mettre à l'index certains aliments, de créer une sorte de liste rouge des produits bannis, intouchables, interdits de séjour à la maison. En matière de nutrition, il est interdit d'interdire, mais recommandé de faire bon usage d'une palette d'aliments aussi vaste que possible.

« La carotte fait la cuisse rose »

Il fut un temps où les nutritionnistes n'écrivaient pas de livres grand public. Les préceptes diététiques se transmettaient essentiellement par voie orale, de génération en génération et, à force d'être martelés, finissaient par s'imprimer dans l'esprit de chacun sous la forme de proverbes. *La carotte fait la cuisse rose et rend aimable. Qui mange une pomme tous les jours vit cent ans. Le chou est le médecin des pauvres. L'ail est à la santé ce que le parfum est à la rose. Celui qui mange l'estomac plein creuse sa tombe avec les dents...*
Certains credo nutritionnels traversent les siècles. D'autres évoluent au gré des époques, des modes et, bien

sûr, des découvertes scientifiques. Résolument moderne, le flamboyant objectif des cinq fruits et légumes par jour aurait paru proprement suicidaire à des médecins du Moyen Âge. En effet, jusqu'au XVIIe siècle, les fruits étaient considérés comme nocifs, dangereux, responsables de fièvres et de douleurs. Un fruit mûr pourrissant à vue d'œil en moins de vingt-quatre heures, comment imaginer qu'il ne corrompe pas la flore intestinale, n'abîme profondément le système digestif, et ne provoque à coup sûr toutes sortes d'intoxications ? Fléau des fléaux, la figue opérait comme un poison qui vous tuait à petit feu. Pour commencer, sa consommation à haute dose provoquait la gale. Et celui qui persistait à ingérer ce venin finissait au cercueil. Comme ce jeune garçon de Padoue, dont le cas est rapporté dans un traité médical italien du XIIIe siècle, qui, ayant abusé du fruit maléfique, ne s'est plus arrêté de maigrir et a fini par mourir en quelques mois. Occis par une barquette de figues...

Ce qui est bon pour notre santé évolue avec le temps et les connaissances scientifiques. Les conseils nutritionnels d'aujourd'hui sont parfois contradictoires avec ceux d'hier. Mais toujours pour le mieux.

Ketchup ou mayonnaise ?

On a vite fait de diaboliser un aliment dont on craint l'effet sur la santé de ses enfants. Surtout si cet aliment a été inventé ailleurs. Le ketchup est sans doute l'exemple le plus emblématique de ces « poisons » venus d'Amérique qui séduisent nos bambins comme la pomme Ève, et que l'on créditerait volontiers de tous les maux : « C'est sucré, ça fait grossir, ça tue le goût. » Fantasmes ! En réalité, le ketchup est très peu calorique (100 kcal pour 100 g) et absolument pas gras (0,3 g de lipides pour 100 g). Pas de quoi pousser les hauts cris.

Le ketchup, qu'est-ce que c'est ? Des tomates et un peu de sucre. Alors, si l'enfant aime ça, si le ketchup lui permet de manger un peu de tout, depuis les noisettes d'agneau jusqu'aux spaghettis, en passant par les crevettes, le riz, le thon grillé, les pommes de terre vapeur, pourquoi diable le lui interdire ? « Le ketchup masque le goût des aliments. Mon enfant ne fait plus la différence entre la viande et le poisson. C'est tout ketchup ! » me déclarait une mère. Bien sûr qu'il ne faut pas noyer les aliments dans le ketchup, mais ne vous trompez pas de bataille. Saisissez l'occasion d'apprendre à votre enfant à doser : commencez par diviser la quantité de ketchup par deux. Le mélange salé-sucré est très recherché dans la cuisine moderne...

Penchons-nous maintenant sur un autre condiment, bien de chez nous celui-là : la mayonnaise. La mayo s'avère bien plus démoniaque que le ketchup de l'oncle Sam, surtout depuis qu'elle se glisse, en tube, dans nos frigidaire. Car désormais, on ne la voit même plus. Quand on la préparait soi-même, on l'observait qui montait, on attendait qu'elle monte, on espérait qu'elle monte. Aujourd'hui, elle est à disposition tout le temps. En tube, en pot de verre ou plastique, la mayonnaise industrielle a l'avantage d'être d'une grande sécurité bactériologique. Et la voilà à portée de bouche.

La mayonnaise a perdu de son charme mais pas de son poids calorique ; à mon sens, elle doit demeurer un condiment rare. Dès lors qu'on en fait la même consommation que le ketchup, elle devient même un problème. En effet, ce mélange onctueux d'huile, d'œuf et de moutarde, très apprécié des enfants, est beaucoup plus riche et gras que le ketchup : 700 kcal pour 100 g dont 72 g de lipides. Même une mayonnaise allégée se hisse à 500 kcal pour 100 g, ce qui reste rondouillard comparé au prétendument satanique ketchup (il existe même des ketchups allégés en sucre qui apportent seulement 60 kcal pour 100 g de matière). En somme, continuons de faire de la mayonnaise une fête et non une routine. Et laissons nos enfants arroser leurs repas de ketchup en essayant de leur apprendre à s'en servir parcimonieusement, comme de tout condiment.

De manière générale, nous avons à notre disposition une multitude de sauces industrielles, aïoli, mayonnaise au citron, au poivre, sauces barbecue, béarnaise, tartare, etc. Ces sauces froides sont, pour la plupart, relativement grasses et caloriques et il est important d'en mesurer sa consommation. Le seul moyen pour un enfant de la contrôler est d'utiliser un instrument de mesure comme la cuillère à café. Si la sauce se présente dans un pot en verre, il peut se servir une à quatre cuillères à café de sauce. Quelle que soit la quantité choisie, l'enfant saura ce qu'il consomme. Dès lors que le packaging est un tube en plastique opaque, il presse dessus et n'a aucune idée de la quantité dont il arrose son plat. Le conditionnement influe sur la consommation : je préfère plusieurs cuillerées qu'une pression à l'aveugle sur un packaging souple. Même avec un tube en plastique, l'enfant peut doser en comptant les cuillerées de condiment.

Révisez votre liste noire

La moutarde inquiète parfois les mères qui ont le sentiment que leurs enfants en abusent. Il me semble qu'elle ne présente aucun danger car, spontanément, on en utilise de petites quantités : la moutarde, ça pique ! Il n'y a donc pas lieu de s'inquiéter.

Le vinaigre, lui, provoque carrément l'effroi. Beaucoup d'enfants l'adorent et en remettent volontiers sur des crudités déjà assaisonnées auxquels ils ajoutent, entre les repas, des festins de cornichons pour leur goût vinaigré – grignotage sans danger et peu calorique qui apporte un peu de glucides et de fibres. Ce condiment plaît aux enfants depuis toujours : les Babyloniens consommaient du vinaigre de dattes cinq mille ans avant notre ère, les Égyptiens du vinaigre de figues et les Indiens du vinaigre de sève de palmier. On aurait mauvais jeu de prétendre que ce condiment est un agent malfaisant de la modernité ou encore un mauvais tour joué par l'industrie agroalimentaire.

Le vinaigre angoisse cependant pour son contenu acide ; chacun connaît ses vertus détartrantes et décapantes. La question surgit d'ailleurs de façon récurrente dans mon cabinet de consultation. De nombreux parents redoutent ces effets sur l'estomac de leurs enfants. Or, l'acidité de l'estomac est de loin supérieure à celle du vinaigre et nous sommes parfaitement armés pour le digérer sans mal, d'autant que l'estomac est tapissé d'une couche de mucus qui le protège des attaques acides. Du reste, nous fabriquons nous-mêmes de l'acide chlorhydrique pour faciliter la digestion.

J'ai souvent entendu cette phrase : « Le vinaigre, ça fait des trous dans l'estomac. » Il faudrait en consommer des litres pour déséquilibrer l'acidité gastrique. Voilà donc un autre aliment que l'on peut « dédiaboliser ».

Je n'en dirai pas autant du sel, autrefois denrée rare et chère. Il me semble que les familles ont pris la mauvaise habitude de poser la salière à table. Or, les enfants contrôlent mal la quantité qu'ils ajoutent presque systématiquement dans leurs plats. C'est très vite la surenchère. Apprenons-leur à goûter avant de saler un plat. Discutons ensemble pour trouver la « juste » quantité de sel. C'est toute l'éducation du goût qui est en jeu. Nous sommes au cœur du processus de transmission, profitons-en pour engager le débat !

Enfin, un certain nombre d'aliments sont regardés d'un mauvais œil, tout simplement parce qu'ils sont bons. Pour des raisons désormais obscures – probablement religieuses à l'origine –, on n'imagine pas spontanément conjuguer plaisir et hygiène de vie. Et les parents suspectent volontiers les plats préférés des enfants d'être mauvais pour leur santé.

J'ai eu beau recenser les aliments les plus appréciés par ces derniers et chercher minutieusement les plus cruellement néfastes, je n'ai guère que les chips de pommes de terre et les oléagineux à inscrire sur ma liste noire. Les chips sont extrêmement caloriques et peu nourrissantes. L'image est simple : une chips, c'est de la graisse solide, de l'huile en morceau. La note calorique est de 520 kcal pour 100 g, après quoi l'enfant a encore faim ! Nous sommes donc face à un aliment n'ayant d'autre vertu que le plaisir du grignotage mais qui, sur le plan nutritif, ne remplacera en aucun cas les pommes de terre, cuisinées sous toutes leurs formes, en robe de chambre, des champs, en purée ou sautées, ni un accompagnement de type pâtes, riz ou légumes.

Quant aux oléagineux, cacahuètes, noisettes, noix salées de pécan ou de cajou, on oublie souvent qu'une petite poignée représente environ 250 kcal. Ce type de grignotage se paye cher. Ce sont des produits très gras à ne pas laisser à la portée des enfants car ils sont capables d'en engloutir des quantités astronomiques... sans compter le danger de s'étouffer pour les plus petits.

Pizza, hot-dog et cheeseburger maison : pourquoi pas ?

Pour le reste, pas d'interdits.

Le hot-dog est gras, mais relativement complet puisqu'il apporte à la fois glucides, protéines et lipides. Il n'y a aucun problème à en servir une fois par quinzaine, mais ne commencez pas avant huit ans.

Un sandwich jambon-fromage ne représente pas plus de 500 kcal et me semble un menu acceptable à condition d'utiliser du jambon de bonne qualité, du vrai comté et du pain frais.

De la même manière, un croque-monsieur/salade nourrit bien son homme. Dans le panini, le pain est un peu plus gras, mais ce n'est pas tragique, il s'agit juste d'un sandwich chaud. En tête de classement des repas préférés des enfants, méfions-nous peut-être du kebab qui culmine à 1 000 kcal, ce qui n'est pas rien...

Reste la star des stars, la pizza. Sourire assuré des enfants à l'énoncé du menu. Je n'irai pas par quatre chemins : une pizza reine, c'est formidable. C'est un plat complet qui réunit féculent (la pâte) et éléments nobles (jambon, fromage, champignons). Ajoutez à cela une salade et un fruit et vous tenez un repas idéal. Si je devais émettre une réserve, elle s'appliquerait à la pizza quatre fromages, indéniablement plus grasse. Mais grosso modo, vive la pizza ! Avec ses origines siciliennes, elle ne manque pas d'attrait sur le plan culturel. Une astuce : habituez-les à manger leur pizza avec des couverts quand ils sont avec vous, même si, avec leurs copains, ils se servent de leurs mains.

Le cheeseburger, en matière de transmission culturelle, semble plus hasardeux. De prime abord, il n'est pas très *frenchy*, le cheese... mais néanmoins complet, pratique et adaptable. Préparez-le vous-même, soyez imaginatif : rien n'empêche de mettre sa touche personnelle. Pourquoi ne pas profiter de l'occasion pour transmettre une bonne recette familiale de béarnaise ou de mayonnaise maison, voire faire goûter une de vos spécialités régionales de fromage ou de cornichons ? Ajoutez concombres et radis, remplacez le steak haché par de la viande des Grisons ou une autre viande séchée, variez les petits pains et faites goûter un pain au sésame ou au pavot, multipliez les fromages. Fromage de chèvre, comté, bleu d'Auvergne, reblochon ou même camembert remplacent très bien le cheddar originel.

Le cheeseburger préparé à la maison, c'est l'aristocratie du fast-food ! Sachez aussi qu'un steak haché acheté en boucherie est en général beaucoup moins gras que la viande utilisée par les enseignes de fast-food. De nombreuses marques de la grande distribution proposent aussi de la viande hachée à 5 % de matières grasses. Comparer la note calorique d'un cheeseburger *homemade* à celle d'un fast-food ouvre des perspectives souriantes à l'atmosphère familiale[1]. Il serait fou de s'en priver.

Vous l'avez compris, le critère du plaisir est un levier de transmission essentiel qu'il ne faut pas laisser de côté. Pour ceux qui seraient en manque d'idées, tous les ans paraissent de nouveaux livres de recettes de burgers maison, sandwichs ou croque-monsieur. Point trop n'en faut. Hot-dog, pizza, croque-monsieur, cheeseburger sont envisageables au menu à la cadence d'une fois par quinzaine voire une fois par semaine. Faites-leur plaisir !

---

1. Voir Le saviez-vous ? n° 1, p. 132 : *Du bon usage du cheeseburger maison.*

LE SAVIEZ-VOUS ?

1 : Du bon usage
du cheeseburger maison

Comparons la note calorique d'un cheeseburger fait à la maison à celle d'un autre servi dans une enseigne de fast-food.

Cheeseburger maison :
– Un bun (110 g) = 94 kcal
– Un steak à 5 % de matières grasses (100 g) = 125 kcal
– Une tranche de tomate (30 g) = 8 kcal
– Une tranche de fromage (20 g) = 46 kcal
– Une tranche d'oignon (10 g) = 20 kcal
– Ketchup et mayonnaise (15 g) = 70 kcal
Total : 363 kcal pour un cheeseburger de 285 g soit 1,27 kcal par gramme de matière.

Un double cheeseburger classique acheté dans une enseigne de fast-food vaut environ 687 kcal pour 290 g, soit 2,36 kcal par gramme de matière.
C.Q.F.D.

2 : Vinaigre et mayonnaise

À propos du vinaigre (apports pour 100 g)
Une cuillerée à soupe contient 10 g de vinaigre.
Valeur énergétique : 3,2 kcal
Protéines : 0,2 g
Lipides : 0 g
Glucides : 0,6 g
Sodium : 20 mg, équivalant à environ 0,1 g de sel

Le cas particulier du vinaigre balsamique (apports pour 100 g)

Valeur énergétique : 102 kcal

Protéines : 0,8 g

Lipides : 0 g

Glucides : 24,6 g

Comme c'est plus sucré, certaines mères en ont peur. Sachant qu'on n'en consomme pas plus de 10 à 15 ml dans une salade, cela ne fait que 10 à 15 kcal en plus. Pas de quoi grimper au rideau !

À propos de la mayonnaise

Préparer soi-même sa mayonnaise est un acte de transmission culinaire. Néanmoins, qui n'a jamais utilisé de mayonnaise industrielle en dépannage ?

Voici donc quelques informations relatives aux diverses mayonnaises toutes prêtes. Valeurs énergétiques pour 100 g :

– Mayonnaise ultra-légère (très éloignée de la mayonnaise classique, au niveau du goût et de la texture) : 90 kcal

– Mayonnaise extra-légère : 125 kcal

– Mayonnaise légère : 270 à 540 kcal

– Mayonnaise classique : 700 kcal

QUE FAIRE, DOCTEUR ?

CAS N° 1 : Ketchup ou Nutella ?

Mon fils a un bon coup de fourchette et une légère tendance à l'embonpoint. Je surveille de près ce qu'il mange. Il a pris l'habitude d'arroser tous ses plats de ketchup. Je parviens à le contenir et à diminuer la quantité de sauce, mais il est très gourmand et j'ai du mal à diminuer sa consommation de Nutella. Quand je vois les pots se vider les uns après les autres, je suis un peu effarée. Mais je peine à lui interdire ce plaisir-là. Autant, le ketchup, je peux le retirer, autant le Nutella, je n'y arrive pas.

Mes suggestions :

La plupart des mères qui viennent me consulter sont vigilantes sur la consommation de ketchup. Elles sont presque intraitables et font preuve d'une autorité remarquable. « Vous êtes d'accord, docteur ? Pas de ketchup, n'est-ce pas ? » disent-elles devant leur enfant, me prenant en complice.

Chaque fois, je réponds, en m'adressant à l'enfant : « Si, si, tu as droit au ketchup. » J'observe le visage décontenancé de la mère, comme si toute son éducation était, d'un coup, remise en question. Après quoi j'explique... et tout le monde comprend et sourit !

Si tous les parents que je rencontre sont vigilants sur le ketchup, curieusement, lorsqu'il est question de Nutella – aliment autrement plus calorique – ils sont désarmés. J'observe une différence très nette dans la posture des parents assis en face de moi. Lorsqu'on parle de ketchup, ils sont penchés en avant, prêts à l'affrontement. Lorsqu'on en vient au Nutella, les bras leur tombent.

C'est que le Nutella appartient à la famille du chocolat, or eux-mêmes peuvent avoir un faible pour le chocolat. Tandis que peu d'entre eux apprécient le ketchup, de sorte qu'ils ont moins de mal à l'interdire. Pour eux, ce n'est pas un sacrifice terrible.

Le Nutella est entré dans notre alimentation depuis plusieurs générations. Essayez d'acheter une sous-marque de Nutella, vos enfants n'y toucheront pas ! Ce ne sera jamais aussi bon que le vrai. Et puis, le chocolat tient une place à part dans la transmission. Il évoque la douceur de l'enfance, possède une dimension affective.

Mais soyons clairs, le Nutella, c'est aussi gras que les rillettes. C'est même l'un des aliments les plus gras, après l'huile et le beurre, un peu plus gras que la crème fraîche épaisse. Soit 34 % de matières grasses !

Le Nutella, c'est du sucre, de l'huile, du chocolat... des noisettes.

Une fois de plus, difficile de le doser. Sa consommation est incontrôlable ! Si dans les hôtels, on trouve des dosettes de 15 ou 30 g sur les buffets du petit-déjeuner, il est difficile de s'en procurer en magasin ; dommage, car la dosette, c'est formidable. La cuillère à soupe vous donnera une bonne unité de mesure. Pas plus d'une !

CAS N° 2 : Sauce soja : un apport à la diversification.

Mon fils abuse de la sauce soja. Dois-je m'inquiéter ?

Mes suggestions :
La sauce soja n'est absolument pas calorique. Elle est composée de soja, d'eau, de sel, de farine

de blé, de sucre, d'acide acétique E260, et de caramel E150B. Elle est très salée, et c'est son inconvénient principal en plus de la modification du goût des aliments aspergés de cette sauce. Ne pas dépasser une cuillerée à café.

CAS N° 3 : La déferlante des sushis est-elle souhaitable ?

Mes enfants raffolent des sushis. Nous en mangeons au restaurant et en commandons souvent à la maison. Les enfants se délectent de la sauce sucrée dans laquelle ils les trempent. Quel est l'apport calorique d'un repas de sushis ? Un tel repas n'est il pas trop lourd ?

Mes suggestions :

Les sushis sont excellents ! Et pas très caloriques. Un sushi de dorade représente 66 kcal par portion. Si vous en mangez six, vous faites un repas à 360 kcal. Ajoutez une soupe miso, une salade de chou, on n'arrive guère au-delà des 500 kcal. En somme, voici un repas plus que raisonnable.

La sauce sucrée pour sushis n'est pas un problème. Chaque fois que vous trempez un sushi, vous consommez 10 g de sauce, guère plus.

La satiété procurée par le sushi sera d'autant plus parfaite que vous les mangerez avec les baguettes, ce qui ralentira le repas. Le poisson procure des protéines et le riz, des glucides complexes. Après un repas à base de sushis, l'enfant n'a plus faim. Toutefois, je ne recommande pas particulièrement la soupe miso, très salée, mais plutôt la salade de chou.

Et à la maison, si on ajoute un yaourt et un fruit, on a un repas complet tout en ayant mangé léger.

Chapitre 6

S'approprier les outils de la modernité

Nous n'achetons plus nos œufs à la ferme. Dans notre assiette, les légumes du potager, cultivés au jardin, sont très marginaux. Ne nous leurrons pas : nous faisons nos courses au supermarché et passons moins de temps dans la cuisine à éplucher, laver, émincer, mixer, concasser, rissoler, larder, confire, écumer, tamiser... qu'il y a vingt ou trente ans. Ne parlons pas d'abricoter qui, en pâtisserie, signifie rendre une préparation brillante en passant de la confiture de ce fruit sur le dessus : si cela nous arrive une fois l'an, c'est bien le diable. Quelle sorte de spectacle offrons-nous à nos enfants ? Et dans ces conditions, que peut-on espérer leur léguer ?

Vivez avec votre temps

L'enjeu consiste à utiliser au mieux les outils de la modernité. Transmettre un comportement alimentaire, ce n'est pas comme offrir en héritage une montre ou des couverts en argent. L'argenterie traverse les siècles sans bouger, tout au plus noircit-elle un peu. Le comportement alimentaire, lui, évolue avec son époque. La transmission se conçoit dès lors dans un contexte donné. Le nôtre est celui d'une société de consommation majoritairement urbaine, dans laquelle l'existence, pour être palpitante, n'est pas exactement paisible. On n'a le temps de rien. On essaie tant bien que mal d'aller au marché une fois par semaine. On n'y arrive pas toujours. On achète de plus en plus d'aliments préparés.

Elle est loin l'image de la maman qui prépare déjeuner et dîner à la maison en attendant sa petite famille. Aujourd'hui, les femmes travaillent, les couples divorcent : voilà deux mouvements tectoniques qui ont transformé en profondeur notre gestion du temps.

Et pourtant, cette évolution dans le mode de vie n'enlève rien à l'attachement jamais démenti des Français envers leur gastronomie. L'alimentation est un art de vivre que nous perpétuons. S'asseoir à table, prendre un vrai repas, cuisiner, recevoir, utiliser de bons produits : ces valeurs ne sont pas près de disparaître. Mais je suis convaincu qu'elles se porteront encore mieux si nous nous attachons à utiliser habilement les outils de la modernité, plutôt qu'à s'en détourner. On peut parfaitement manger sain et cuisiner moderne.

Le four à micro-ondes sert désormais à cuisiner et plus seulement à réchauffer. Gratin de poireaux, potage fermier, velouté de tomates, ragoût d'agneau aux pommes de terre, compote de fruits rouges, moelleux de crème de marrons : on trouve sur Internet des centaines de recettes et il existe de nombreux livres de cuisine qui, en plus de suggestions de plats, expliquent les principes de cette cuisson.

Si votre enfant ne mange pas à la cantine, vous pouvez lui apprendre quelques recettes rapides et simples. La cuisson au micro-ondes est d'une qualité parfaite et permet de préparer en un temps record des pommes de terre nature, un steak haché, des pâtes. Son déjeuner sera plus équilibré que s'il s'achète un sandwich et il se familiarisera avec cet outil.

On a tendance à opposer produits du terroir et alimentation industrielle, nourriture saine et grande distribution, comme s'il s'agissait de deux univers étrangers voire incompatibles. Celui qui voudrait transmettre le « bien manger » à ses enfants n'aurait donc qu'à tourner pudiquement le dos aux grandes surfaces en un acte quasi-militant... En vérité, le contraire est en train de se jouer.

D'une part, le consommateur s'approvisionne de plus en plus en grandes surfaces pour remplir ses placards, son congélateur et son réfrigérateur. Selon une enquête TNS Sofres, 92 % des personnes interrogées déclarent faire leurs courses dans ces magasins au moins une fois par mois et 62 % une fois par semaine. Les enseignes de proximité comme les supérettes, les mini-marchés et les épiceries de quartier sont également très fréquentées : 62 % des personnes interrogées déclarent y aller au moins une fois par semaine. En somme, la majorité de notre alimentation provient des grandes surfaces et des supermarchés de plus petite taille désormais implantés dans les moyennes et grandes villes. C'est ainsi...

D'autre part, vu l'aspiration actuelle à une alimentation équilibrée, l'industrie agroalimentaire améliore sans arrêt ses produits afin de séduire une clientèle soucieuse de se nourrir sainement.

Le schéma manichéen qui opposerait des produits industriels, « insipides, trafiqués, de petite qualité », aux produits faits maison, savoureux, naturels, équilibrés et sains, cède la place à une réalité plus nuancée.

Quand le consommateur maintient un haut niveau d'exigence, l'industrie agroalimentaire fait des efforts. C'est ce qui s'est passé ces dernières années : l'intérêt croissant que nous portons au contenu de notre caddie, conjugué à l'effet des campagnes de santé publique, a conduit à une nette amélioration des qualités nutritionnelles des produits de la grande distribution.

Dans l'ensemble, nous nous dirigeons dans la bonne direction. Les charcuteries, par exemple, ont perdu plus de 30 % de leurs matières grasses en cinquante ans. De sérieux progrès sont réalisés depuis quelques années dans le sens d'une augmentation des apports en fibres et en acides gras oméga 3 et 6, et d'une diminution des apports en sucres et en matières grasses. Les acides gras saturés et les acides gras trans, mauvais pour le cholestérol, ont été drastiquement réduits dans la composition des margarines.

Plusieurs marques et enseignes se sont engagées à modifier la composition de leurs produits en conformité avec les recommandations du PNNS (Programme National Nutrition Santé). Objectifs déclarés : diminuer la quantité de sel des charcuteries et des produits de la filière boulangerie, augmenter la dose de fruits et diminuer le taux de sucre ajouté des compotes, confitures et fruits au sirop, enrichir en vitamine D et alléger en sucre les produits laitiers.

Contrairement aux idées reçues, de nombreux produits d'aujourd'hui sont donc nettement plus sains que ceux d'autrefois. Informez-en vos enfants !

En conclusion, l'implication conjointe, d'une part, des pouvoirs publics via le PNNS, d'autre part, des consommateurs (qui ne doutent plus du lien entre alimentation et santé) et enfin des industriels (qui s'engagent en signant avec l'État des chartes de progrès nutritionnel), influe sur la qualité des denrées issues de la filière agroalimentaire. C'est cette vigilance sur le choix des produits qu'il nous faut transmettre aux générations futures, au même titre que l'on dévoile une recette de famille ou un tour de main.

Supermarché, mode d'emploi :
transmettez les bons réflexes d'achats

L'alimentation industrielle fait désormais partie intégrante de notre quotidien. C'est pourquoi, plutôt que de s'en méfier – tout en y ayant recours pour des raisons évidentes de manque de temps, de logistique ou de budget –, mieux vaut regarder la réalité en face. Le supermarché, on ne peut plus s'en passer, alors apprenons à nos enfants comment en faire bon usage.

Les grands chefs français, à longueur d'interviews, rendent hommage à leurs fournisseurs, ces petits producteurs artisanaux grâce auxquels ils peuvent « travailler les meilleurs produits ». À une autre échelle, nous aussi, formons nos enfants au choix des meilleurs aliments possibles dans les rayons d'un supermarché, exactement de la même façon qu'on leur enseigne quelle viande sélectionner pour réussir un bon pot-au-feu.

Pour ce faire, les enfants doivent apprendre à reconnaître la nature des produits qu'ils achètent. Du temps des yaourts faits maison, tout le monde savait qu'un yaourt était composé de lait et de ferments lactiques. Aujourd'hui, l'enfant confond facilement yaourt et crème dessert dans la mesure où ils sont proposés côte à côte dans le même rayon et présentés dans des emballages similaires. Pourtant, crèmes aux œufs, crèmes dessert, viennois, liégeois, mousses et flans n'offrent pas les mêmes apports nutritionnels qu'un yaourt ; ils sont souvent plus gras, plus sucrés, moins riches en calcium et ne contiennent pas les ferments lactiques du yaourt qui fortifient notre système immunitaire et facilitent la digestion. En pratique, favorisez la consommation de yaourt et vérifiez la dénomination des produits que vous achetez.

Parmi les soupes en brique, beaucoup sont d'excellente qualité, encore faut-il savoir les distinguer. Et ce n'est pas une mince affaire ! Vous voulez consommer une soupe qui comprend beaucoup de pommes de terre ou de préférence des légumes secs ? Vous n'échapperez pas à la lecture de la composition. Un tuyau : les ingrédients sont classés par ordre décroissant de quantité.

Les jeunes, qui sont de grands consommateurs de publicité, sont très familiers des marques et les adorent ; mais on ne mange pas des marques, on mange des produits. Or, l'offre alimentaire est pléthorique. L'invention du code-barres et les progrès de l'informatique ont permis de multiplier les articles. On peut trouver dans les rayons d'un supermarché jusqu'à 8 000 références alimentaires, parmi lesquelles des produits de plus en plus sophistiqués : allégés en sucre, sans sel, aux céréales complètes, plus riches en fibres, moins gras. La composition et la présentation des aliments varie sans arrêt. Si les jeunes veulent savoir ce qu'ils achètent, ils doivent être capables de lire emballages et étiquettes, même pour les produits de leurs marques préférées. À nous de les initier en faisant les courses avec eux. Amusez-vous à rechercher dans un rayon un produit de composition précise : par exemple, un poisson pané qui contient au moins 80 % de poisson. La transmission d'une culture culinaire passe aussi par cet apprentissage-là.

On peut également intéresser les jeunes à l'origine des produits. La France dispose du patrimoine gastronomique le plus riche du monde. Au-delà du label AOC (Appellation d'Origine Contrôlée), les grandes surfaces elles-mêmes ont développé des labels qui mettent en avant les spécialités du terroir. On trouve au supermarché du poulet des fermiers des Landes, de l'emmental de Savoie, des rousquilles du Roussillon, du chaource de Bourgogne, du brie de Meaux, des oignons rosés de Roscoff, de l'andouillette de Troyes, des saucisses de Toulouse, des ravioles du Dauphiné, du miel corse, du gâteau basque, etc. On trouve également toutes sortes de produits issus de gastronomies étrangères, tortillas mexicaines, harissa, nouilles chinoises, feta grecque et feuilles de vigne. Faites un tour du monde avec vos enfants !

Familiarisez la famille avec des produits
qui vous facilitent la vie

Les aides culinaires sont un outil formidable pour simplifier les tâches en cuisine et raccourcir les procédures. Libérer du temps est une façon de multiplier les occasions de cuisiner ensemble. On ne peut pas demander aux parents qui travaillent de préparer une poule au pot pour le dîner. Il n'y a pas de honte à remplacer les heures d'attente pour la réduction d'un bouillon par un cube déshydraté ou les légumes frais du marché par des légumes surgelés. Changeons notre approche de l'alimentation industrielle, jusque-là considérée comme un dépannage. Certains aliments préparés font désormais partie de notre nourriture de base. Si l'on n'a pas le temps de faire une vraie purée de pommes de terre, il y a mille façons d'accommoder une purée Mousseline, en y ajoutant le fromage de son choix par exemple. Pas de couteau pour éplucher le kilo et demi de pommes de terre Bintje, pas de moulin à légumes... Reste tout de même une partie symbolique de la gestuelle : tourner une purée sur le feu, c'est aussi faire la cuisine, même si on s'est facilité la vie avec des flocons !

Certains aliments industriels peu chers et très utiles sont des points de départ essentiels pour concocter un grand nombre de plats. On a tous nos produits de prédilection adaptables à mille recettes : du concentré de tomates, de la crème fraîche longue conservation, du parmesan au réfrigérateur, du fond de veau pour un ragoût, des cubes de bouillon de poulet, de la Maïzena, du roux pour béchamel, toutes sortes d'épices et de condiments lyophilisés, des galettes de blé noir pour un dîner crêpes, de la pâte feuilletée pour improviser une quiche lorraine ou une tarte, du beurre au congélateur, de la viande et des légumes surgelés. Avec ça, on peut tout faire. Lancez-vous !

Pour les cuistots en herbe de la maisonnée, il est précieux d'apprendre à remplir placard, réfrigérateur et congélateur de façon à ne jamais être pris de court quand l'envie de cuisiner surgit. Chacun transmettra selon ses propres habitudes de consommation.

Ils sont bien conservés !
Acceptez sereinement les progrès techniques

Utiliser la production industrielle pour manger frais, voilà l'ultime astuce. Notre nostalgie naturelle nous amène souvent à regretter la « saine alimentation d'antan ». C'est oublier à quel point les découvertes en matière de conservation des aliments ont transformé notre existence. Trois inventions majeures ont changé la donne : la conserve, le sous-vide, la congélation.

Nicolas Appert, en 1795, a découvert le moyen de conservation le plus extraordinaire et le plus économique. Le procédé est simple : stériliser par la chaleur des denrées périssables dans des contenants hermétiques (boîtes métalliques, bocaux, etc.). Les conserves sont bon marché et on peut les garder des années dans un placard. Là aussi, des progrès considérables ont été réalisés quant à la teneur en sel et en graisse. Les férus du Sud-Ouest seront heureux d'apprendre que, sur le plan nutritionnel, le cassoulet de Castelnaudary en boîte sort grand vainqueur. Qu'on se le dise : les cassoulets en boîte sont, en général, beaucoup moins gras que les cassoulets maison réalisés selon la recette traditionnelle. Néanmoins, l'appertisation (du nom de Nicolas Appert) modifie le goût des aliments. Les petits pois en boîte n'ont pas du tout la même saveur ni le même aspect que les frais. Cependant, ils ont les mêmes vertus nutritives.

Les aliments conservés sous vide, eux, préservent parfaitement leur goût mais ne se conservent pas plus de vingt et un jours et nécessitent un stockage au frais.

Enfin, la congélation est à ce jour le mode de conservation qui garantit le mieux la teneur en vitamines et minéraux des aliments. C'est presque supérieur au frais. Entendons-nous bien, un légume frais que l'on gardera quelques jours dans son réfrigérateur aura perdu de ses qualités nutritionnelles comparé au même légume congelé. La congélation est le mode de conservation qui coûte le plus cher en énergie. Mais l'avantage, c'est qu'on peut tout congeler, sans ajouter de sel comme dans les conserves. On gagne du temps en épluchage grâce aux légumes surgelés. De quoi s'attaquer à des plats fastidieux et montrer à un enfant comment faire une ratatouille sans y passer l'après-midi.

Apprendre à bien manger, c'est aussi apprendre à utiliser correctement les différentes formes de conservation des aliments. Il me paraît essentiel de s'approprier ces outils de la modernité et de les intégrer dans le processus de transmission.

Qu'est-ce que la transition nutritionnelle ?

La transition nutritionnelle est le passage brutal d'une civilisation culinaire à une autre. On a pu observer ce phénomène en Chine dans les années 1990, notamment dans les zones côtières de ce pays à l'économie galopante. En l'espace de vingt ans, la nourriture traditionnelle chinoise a été remplacée par une alimentation à l'occidentale. Les McDonald's et autres chaînes américaines de restauration rapide se sont implantés à vive allure.

Après quoi les Chinois ont créé leurs propres fast-foods. Dans ces régions, on a pu observer une explosion de l'obésité tandis qu'ailleurs, là où la nourriture à l'occidentale n'avait pas pénétré, la population était restée maigre. Ces changements nutritionnels demandent aux hommes et aux femmes un temps d'adaptation.

La France a connu sa transition nutritionnelle dans les années 1970 avec l'explosion des grandes surfaces et l'apparition de quantité de produits nouveaux dans les placards, produits que nous avons su, tant bien que mal – et plutôt bien –, intégrer à notre culture alimentaire. Aujourd'hui, dans notre pays, l'obésité commence, sinon à reculer, du moins à stagner chez les enfants, signe que nous arrivons au terme du processus : la transition nutritionnelle touche à sa fin. On a appris à vivre avec les grandes surfaces comme avec la télévision. Chaque avancée technologique peut provoquer des bouleversements dans nos comportements alimentaires : il faut toujours s'adapter.

Nous devons faire de la modernité un outil, pas un ennemi. Nos enfants en tireront profit.

LE SAVIEZ-VOUS ?

1 : Petit guide du rayon gâteaux au supermarché

Les gâteaux sont soit gras, soit sucrés, soit les deux.

On préférera le sucre au gras tout simplement parce que nous sommes plus performants pour brûler le sucre que pour éliminer la graisse.

1. Les gâteaux les moins gras : entre 1 et 3 g de lipides pour 100 g
   – Paille d'Or : 1 g
   – Chamonix : 2 g
   – Les mini-barquettes Lu : 2,5 g
   – Le pain d'épices, qui est un produit très maigre : 3 g de lipides

Attention, il faut choisir le vrai pain d'épices, c'est-à-dire celui qui contient 50 % de farine de seigle et 50 % de miel (c'est indiqué sur l'étiquette). Il est souvent plus cher que les autres mais meilleur. Pour faire du pain d'épices moins cher, on a tendance à remplacer le miel par du sirop de glucose-fructose. Le fructose en grande quantité n'est pas bon pour la santé.

2. Ceux qui contiennent 3 à 8 g de lipides pour 100 g
   – Mini-roulés aux framboises : 5 g de lipides
   – Biscuits à la cuiller : 3 g
   – Boudoirs : 3 g
   – Figolu : 7,2 g

3. Entre 8 et 12 g de lipides pour 100 g
– Les Petit Beurre de Lu : 12 g

4. Entre 25 et 30 g de lipides pour 100 g
Tous les biscuits au chocolat ainsi que la majorité des sablés
Cookies chocolat : 25 g
Biscuits noisette chocolat au lait : 39 g

2 : Quelles sources de calcium au rayon frais ?

Apports nutritionnels comparés d'un yaourt et d'un liégeois au chocolat
YAOURT (Ces chiffres valent pour un yaourt nature ou aux fruits d'une contenance de 100 g)
Calcium : 120 mg à 160 mg
Protéines : 4 à 5 g de protéines
Glucides : 4,8 g pour le yaourt nature et 13 g pour le yaourt aux fruits
Lipides : entre 0 et 3,6 % de matières grasses selon que le yaourt est au lait entier, allégé ou maigre
Bactéries lactiques
Remarque : un yaourt apporte la même quantité de calcium et de protéines, quelle que soit sa teneur en graisse.

LIÉGEOIS AU CHOCOLAT (100 g)
Calcium : 70 à 80 mg (soit deux fois moins qu'un yaourt)
Protéines : 2,5 à 4 g
Glucides : 19 à 23 g
Lipides : 5 à 7 g

En conclusion, il vous faut manger deux liégeois pour obtenir la quantité de calcium contenue dans un yaourt. Et attention aux calories : le liégeois est deux fois plus calorique qu'un yaourt nature au lait entier.

3 : Le four à micro-ondes est entré dans nos vies.

En 2009, les Français ont acheté 2 145 000 fours à micro-ondes [1].

91 % des ménages en France possèdent un four à micro-ondes [2].

Et pourtant, la peur du micro-ondes a sévi pendant de nombreuses années. Il a été innocenté par de multiples études scientifiques. N'allez donc pas à contre-courant de l'évolution technologique ; intégrez-le dans votre savoir-faire culinaire en apprenant à vos enfants toutes les possibilités qu'il offre pour réchauffer ou cuisiner les aliments.

---

1. Source GIFAM (groupement interprofessionnel des fabricants d'appareils d'équipement ménager), Bilan 2009.
2. Source TNS Sofres.

QUE FAIRE, DOCTEUR ?

CAS N° 1 : Des vinaigrettes de supermarché

Je travaille et j'ai trois enfants. L'intendance est lourde. Par manque de temps, j'utilise des vinaigrettes industrielles. Que pensez-vous de ces produits ?

Mes suggestions :

D'un point de vue nutritionnel, je n'ai rien contre. Je trouve même intéressantes les vinaigrettes allégées. Les enfants aiment ça car il existe une variété de goûts vinaigrés importante. C'est un gain de temps appréciable qui permet, de surcroît, une réduction de la note calorique des repas.

Néanmoins, savoir préparer une vinaigrette fait partie du b.a.-ba de notre patrimoine culinaire. C'est un tournemain, ce sont des habitudes familiales (à chacun sa façon de mélanger les huiles, de marier huile et vinaigre : la palette est étendue). C'est l'occasion de faire découvrir des produits aux enfants. Ils apprendront à distinguer la saveur d'une huile de noix de celle d'une huile de noisette, à reconnaître le vinaigre de vin, de cidre ou le vinaigre balsamique, à goûter l'huile de pépins de raisin. Ils découvriront des dizaines de moutardes et pourront s'amuser à tester des associations de leur invention. Une vinaigrette maison, c'est toujours bon, on se trompe rarement !

C'est un aliment intéressant pour développer le palais de vos enfants et découvrir tout un pan de notre terroir.

Sachez au passage qu'il est facile d'alléger une vinaigrette maison. Il suffit d'y ajouter de l'eau.

Utilisez les « boîtes-shaker » permettant de mixer au mieux huile et eau et faites préparer à l'avance cette vinaigrette par vos enfants. Cela les amusera sûrement.

CAS N° 2 : Quel lait pour qui ?

J'ai des enfants entre quatre et seize ans. Quel produit dois-je choisir au rayon lait ? Je n'en veux qu'un car mon réfrigérateur est déjà très rempli.

Mes suggestions :
Pour tous, choisissez de préférence du lait demi-écrémé.

La quantité de calcium et de protéines est la même que dans le lait entier, seule la quantité de lipides diffère. Si l'enfant, jusqu'à quatre ans, a besoin de gras, dès quatre ou cinq ans, il faut réduire la quantité de graisses.

Toutes les marques proposent trois types de lait. On peut se repérer à la couleur du bouchon :
– Écrémé (bouchon vert)
– Demi-écrémé (bouchon bleu)
– Entier (bouchon rouge)
Vous trouvez aussi des sous-catégories qui correspondent à des besoins nutritionnels particuliers :
– Les laits enrichis en oméga 3 : ils sont intéressants, par exemple, pour un enfant qui refuse de manger du poisson. C'est une façon de lui apporter les oméga 3 présents dans le poisson.
– Les laits partiellement délactosés (de type « Matin léger ») : ces laits sont indiqués pour les enfants qui, souffrant d'une petite insuffisance en lactases (les enzymes qui permettent de digérer le lait), ne supportent pas le lait le matin.

– Les laits enrichis en vitamine D : ces laits sont une bonne chose pour tout le monde car on ne consomme pas assez de vitamine D dans nos pays. Et comme la tendance est de se protéger du soleil, on fabrique moins de vitamine D.

Mon conseil : si aucun de vos enfants n'a de problème particulier, choisissez, pour tout le monde, du lait demi-écrémé enrichi en vitamine D.

Chapitre 7

Le repas, c'est sacré !

Parmi les outils dont nous disposons pour transmettre les « valeurs du bien boire et du bien manger », le repas familial occupe la place d'honneur. C'est le principe numéro un, la star absolue, le remède universel. Toutes les autres recommandations ne sont que des raffinements de perfectionnistes, comparées à ce conseil roi : si vous voulez que vos enfants mangent bien, prenez vos repas en famille !

Les vertus du repas familial

Le repas familial présente toutes les vertus : il réunit la famille, la nourrit et la soude. Il assure de surcroît le passage de flambeau dans la mesure où les enfants ayant pris des repas en famille (à condition que ceux-ci se soient déroulés dans une ambiance acceptable sinon gaie) institueront à leur tour cette pratique le jour où eux-mêmes auront des enfants.

Le premier bénéfice évident du repas en famille est d'inculquer de bonnes habitudes alimentaires. Quand les parents préparent des repas équilibrés, les enfants s'habituent à manger sainement et au fil des années, le pli est pris. Le menu étant le même pour tout le monde, les petits, à leur rythme, découvrent de nouveaux aliments. Au contact des adultes, ils élargissent leur répertoire alimentaire. Ils consomment notamment plus de fruits et de légumes et moins d'aliments gras à faible valeur nutritive. C'est excellent !

L'étude américaine Anderson et Whitaker démontre les bienfaits du repas familial sur la santé des enfants de quatre à six ans. Les enquêteurs ont observé le mode de vie de 8 550 enfants américains et analysé l'influence de trois comportements sur leur santé : prendre ses repas en famille plus de cinq soirs par semaine ; dormir suffisamment, au moins dix heures et demie par nuit ; regarder la télévision moins de deux heures par jour. Ils ont constaté une prévalence d'obésité inférieure de 40 % parmi les enfants se conformant à ces trois habitudes, en comparaison avec les enfants ne s'y conformant pas[1]. Plaidoyer éclatant ! Le repas familial est donc une promesse de bonne santé. Les enfants apprennent à se nourrir mieux et s'accoutument à manger à table plutôt qu'entre les repas.

Le repas familial est aussi l'occasion pour les parents d'observer leurs enfants. On s'aperçoit que le petit, après avoir déclaré qu'il n'a plus faim et refusé les fruits proposés au dessert, se précipite sur le placard à gâteaux et engloutit un paquet de Finger. Plus grave : plusieurs repas d'affilée, on constate que l'adolescente de la famille mange du bout des lèvres quelques bouchées d'oiseau et sort de table le ventre vide. Parce qu'elle a décidé de maigrir, elle prend tout doucement le chemin de l'anorexie. Les parents peuvent alors réagir, lui expliquer comment perdre un petit peu de poids tout en se nourrissant suffisamment.

---

1. Sarah E. Anderson et Robert C. Whitaker, « Household Routines and Obesity in US Preschool-Aged Children », revue *Pediatrics*, American Academy of Pediatrics, février 2010.

Les enfants mangent-ils ce qu'ils ont dans leur assiette ? Leur choix parmi les plats proposés leur procure-t-il une alimentation suffisamment variée ? On est bien en mal de répondre à ces questions quand ils mangent à la cantine. Les repas pris ensemble à la maison offrent l'opportunité de contrôler et, le cas échéant, quand un enfant mange trop, pas assez ou pas comme il faut, de rectifier le tir.

La chaleur d'un repas familial n'a pas son équivalent. On n'a pas trouvé mieux comme cocon affectif. Autour d'une table, la parole circule. L'enfant le plus renfrogné finira par se tourner vers les autres comme tournesol au soleil. L'auditoire est là, le ventre plein, dédié et dispo. On peut parler de soi et de ses aventures à l'école. On s'entraîne à prendre la parole en groupe, on fait un effort pour s'exprimer intelligiblement, on a le souci de raconter une histoire correctement, peut-être même avec humour. Le repas, véritable ciment familial, a des effets bénéfiques jusque sur le langage des enfants. On pourra reprendre, par petites touches, les adolescents au langage un peu trop formaté par leur âge, et élaguer leur vocabulaire en supprimant beaucoup de *trop*, pas mal de *kif*, quelques *ouf* et en suggérant pour la énième fois qu'on dit *une* espèce de poisson et non *un* espèce de poisson. C'est au cours du repas familial que l'enfant apprend à vivre en société.

S'il vous arrive d'en avoir assez de faire les courses, de cuisiner, d'élaborer des menus, dites-vous qu'il y va du bien-être physique et moral de votre enfant. Pour un jeune qui traverse une période difficile sur le plan psychologique, ce rendez-vous familial, quand il se passe bien, vaut toutes les séances chez le psychologue ou le thérapeute familial !

À table, on apprend des valeurs essentielles comme la courtoisie (on ne se sert pas le premier), le respect des autres et de soi-même (on se tient bien), l'altruisme (on demande à chacun s'il veut se resservir avant de finir un plat), la sociabilité (on fait la conversation). Dîner en famille, c'est un peu comme aller au cinéma avec des amis, il faut se mettre d'accord sur le lieu, l'horaire, et le film qu'on va voir. On est bien obligé de trouver un terrain d'entente, de prendre en compte le goût des uns et des autres. On ne mange pas torse nu ou une casquette sur la tête, on ne s'habille pas comme pour aller à un dîner en ville mais on fait un effort minimum de présentation. La vie en groupe est un rempart contre le laisser-aller. Quand on mange seul, on peut avoir un comportement compulsif, manger trop, manger n'importe quoi, devant la télé, à n'importe quelle heure. Le regard de l'autre est un efficace garde-fou.

Enfin, la qualité majeure du repas familial réside dans son caractère routinier. « À table », et tout s'arrête, chacun se rend disponible, on va passer un moment ensemble, cela va de soi, cela ne se discute pas. Impensable que les enfants ne viennent pas à la minute où on les appelle. Ce rendez-vous n'est pas négociable, il est aussi important que d'arriver à l'heure à l'école ; du reste, bien souvent, cela va de pair. Quand on respecte sa famille, on respecte aussi ses camarades de classe et ses professeurs et on s'interdit de déranger tout le monde en arrivant en retard.

Certains repas se passeront moins bien que d'autres. Dans les pires moments, les enfants se chamaillent, les vacheries fusent, les parents se disputent, le petit qui n'a rien mangé pleure parce que son père le gronde et l'adolescent sort de table avant la fin. On traverse des séries de repas plus ou moins heureuses mais l'essentiel est sauf, le minimum acquis : on se frotte les uns aux autres, on acquiert des règles de vie, on parle et, le plus souvent, c'est joyeux.

Bonne nouvelle : le repas en famille se porte bien. La pratique résiste à tous les bouleversements de société, la généralisation du travail des femmes, la multiplication des enseignes de fast-food, la crise de l'autorité parentale. Une enquête de janvier 2010 commandée par la fondation Nestlé France constate que 53 % des Français prennent un repas par jour en famille. Seuls 12 % des Français disent dîner d'un plateau-repas devant la télé de façon régulière[1]. En somme, le repas familial n'est pas prêt de disparaître dans les caves de la modernité. Néanmoins, restons vigilants.

Préparer des repas suppose une logistique et une régularité obstinées mais les bénéfices compensent largement les efforts fournis. Comme qui dirait, ça ne coûte pas cher et ça peut rapporter gros ! Ce n'est guère plus compliqué de préparer un repas pour deux ou pour quatre. Et après tout, le devoir numéro un des parents n'est-il pas de nourrir leurs enfants ? Paradoxalement, c'est à la fois une tâche évidente et naturelle et un acte hautement civilisé d'un raffinement inouï.

Le repas, patrimoine immatériel de l'humanité

Parmi les tableaux fondateurs de l'histoire de l'art figure la représentation d'un repas. Le repas par excellence, c'est La Cène, l'ultime repas du Christ : la veille de sa crucifixion, Jésus partage un dîner avec les douze apôtres. *La Cène*, thème central de l'iconographie chrétienne, est l'un des chefs-d'œuvre de Léonard de Vinci. Cette peinture murale réalisée à Milan autour de 1496

---

1. Enquête BVA-Nestlé sur le « passage à table ». Étude réalisée sur Internet les 14 et 15 janvier 2010 auprès d'un échantillon de 998 personnes, représentatif de la population française âgée de 15 ans et plus.

au couvent Sainte-Marie-des-Grâces est une œuvre admirable, une référence, pour son traitement de la perspective et sa composition géométrique.

Maintenant, imaginons qu'au lieu de s'asseoir à table tous ensemble, Jésus et les douze apôtres se soient mis d'accord sur un programme *plus cool* consistant à aller en bande avaler un sandwich dans un fast-food romain. Sans doute Léonard de Vinci eût été moins inspiré par ce spectacle de treize potes disséminés dans une sandwicherie *trop top*, proposant des formules *trop pas chères*, Judas en train de mâcher, debout dans un coin. Quelle composition ? Quelle perspective ? Quelle géométrie ? La même tension dramatique aurait-elle transparu de la fresque milanaise de Léonard de Vinci ? Et de quoi auraient parlé ces treize jeunes mangeant sur le pouce ? Les apôtres auraient-ils entendu et compris les paroles du Christ ? Seraient-ils sortis de là suffisamment « nourris » pour supporter les épreuves à venir, passion du Christ, résurrection ?

Si les scènes de repas ont suscité des chefs-d'œuvre de peinture, parmi lesquelles *Le Déjeuner d'huîtres* de Jean-François de Troy, *Le Déjeuner des canotiers* de Renoir, *Le Repas* de Gauguin, *Le Déjeuner sur l'herbe* d'Édouard Manet, c'est bien la preuve que le « gueuleton » est solidement ancré dans la culture occidentale. Depuis 2010, il est même hissé au rang de « patrimoine immatériel de l'humanité ». De l'humanité tout entière ! Le repas gastronomique des Français, avec ses rituels et sa présentation, est désormais inscrit par l'Unesco dans la liste des traditions mondiales qu'il faut préserver coûte que coûte. J'ajouterai que dans mon (plus modeste) classement personnel, le repas figure en tête de liste des comportements alimentaires que nous devons à tout prix léguer à nos enfants.

Apprendre à s'asseoir autour d'une table pour manger ensemble, c'est essentiel.

Quel que soit le milieu naturel dans lequel il évolue ou la foi qui l'anime, l'homme, pour se nourrir, se réfère à des principes transmis de génération en génération. Bien souvent, ces règles ont été des clés pour sa survie. Selon Odon Vallet, historien des religions, la sacralisation de la vache indienne permet de protéger « quatre richesses essentielles à la vie : le lait, le beurre, la bouse (combustible permettant d'épargner les forêts) et l'urine (utilisée dans la médecine ayurvédique)[1] ». La plupart des religions ont le souci commun d'élever l'homme, d'en faire un être spirituel, honnête, sage, généreux... et qui se nourrit correctement. Toutes se sont occupées d'édicter des préceptes alimentaires. Les exemples les plus familiers sont la cacheroute juive, le halal musulman, l'interdiction hindoue de manger du bœuf, le carême chrétien ou le vendredi maigre qui transparaît toutes les semaines dans les menus de nos cantines. À l'école publique, nos enfants mangent du poisson le vendredi.

On ne mange pas n'importe quoi, n'importe où, n'importe quand, ni n'importe comment. Même une famille d'Inuits posée au milieu de la banquise se soucie du rythme et du contenu de ses repas. Aucun Esquimau n'aurait l'idée d'attraper comme ça un morceau de morse cru dans un coin d'igloo. On découpe l'animal selon un rituel ancestral, on cuit la viande selon une certaine recette, on la sert différemment dans les grandes occasions. L'environnement hostile du Groenland n'a pourtant pas empêché les Esquimaux de procurer à leur corps tous les nutriments nécessaires.

---

1. Odon Vallet, « Signe du religieux, conflits de société et connivences étatiques », *Cultures & Conflits*, n° 3, automne 1991, pp. 159-170.

Leur alimentation est essentiellement composée de viande et de poisson, avec une prépondérance de phoque et de caribou. Les femmes inuits apprennent à cuisiner la viande de phoque en séparant la chair de la graisse. Les morceaux de chair sont disposés dans la marmite. Pendant que la viande cuit, la cuisinière, pour faire un jus, mâche la graisse du phoque qu'elle recrache de façon régulière dans le plat de cuisson. Voilà comment on concocte un jus de viande en terres boréales. L'été, on récolte les baies sauvages (mûres, myrtilles, camarine, angélique), on accommode les œufs d'oiseaux aquatiques, on mange des algues et des moules. Les grands jours, on sert à toute la famille un amuse-gueule : le *kulpiroks* ne se cuisine pas, il se prélève. Ce sont les larves de mouche pondues sur la viande séchée que l'on sert assez élégamment dans un bol en terre cuite. Mais attention : jamais vous ne verrez un Esquimau mélanger dans un même repas les produits de la terre et ceux de la mer.

À chaque région ses usages. Un petit Français qui ferait du bruit en mangeant se ferait gronder. De l'autre côté du monde, le jeune Coréen apprend à aspirer ses pâtes le plus bruyamment possible, façon distinguée d'indiquer qu'il apprécie le menu. Au Japon également, les pâtes se mangent *tsuru-tsuru*, avec force bruits de succion. Qu'importent les usages tant qu'ils existent et que l'on se soucie de les respecter. Se conformer à certaines mœurs ou comportements codifiés va de pair avec l'attention que l'on porte à ce que l'on mange. Le plus souvent, celui qui se nourrit selon l'usage se nourrit bien.

Notre corps est un monde en soi avec ses rituels

Ces usages alimentaires répondent à un besoin physiologique. Notre santé repose sur un ordre intérieur. Un corps sain est une machinerie parfaitement réglée qui fonctionne grâce au carburant de notre alimentation. Notre organisme supporte très mal l'anarchie. Tout changement extérieur va perturber l'ordre intérieur. Quiconque a voyagé et subi un décalage horaire sait combien les changements de rythme sont éreintants. On met du temps à se remettre sur pied. Le corps fournit des efforts gigantesques pour adapter l'horloge interne à l'horloge externe.

Chacun des nutriments que nous ingérons, lipides, protéines, vitamines, minéraux, remplit une fonction particulière. Tous les jours, nous renouvelons les cellules de notre intestin, nourrissons les cellules de notre cœur, renforçons la solidité de nos os soumis à l'usure du temps. Toutes les pièces de notre matériel corporel nécessitent d'être alimentées régulièrement pour fonctionner au mieux sans quoi elles s'abîment.

Notre corps est un monde en soi. Le fonctionnement de ce monde repose sur des règles précises et une organisation minutieuse impliquant le cerveau, le foie, l'intestin, l'estomac, la rate, les reins, les os... La seule circulation sanguine emprunte des chemins complexes constitués d'artères, de veines, de vaisseaux lymphatiques, de microveines. C'est un circuit extrêmement sophistiqué ! Bousculer ce subtil agencement est absurde et néfaste.

En résumé, les usages de la table ne sont pas une lubie bourgeoise. Ils répondent à une nécessité physiologique d'ordre médical. L'art de la table, les règles de savoir-vivre sont des principes conçus pour nous permettre de vivre correctement.

Dresser une table, c'est déjà préparer le déroulement du repas, l'ordre des aliments que l'on va manger et par conséquent l'ordre d'apport des différents nutriments. Sur une table bien mise, la disposition des couverts indique la succession de leur utilisation. Les couverts de l'entrée à l'extérieur puis ceux du plat principal plus près de l'assiette. Le soin que l'on met à dresser une table va de pair avec une bonne hygiène alimentaire.

Voilà pourquoi il me semble tout à fait utile d'inculquer aux enfants les raffinements de l'art de la table. Apprenez-leur que pour le confort des convives, on prévoit environ cinquante centimètres par personne et par place autour de la table. Qu'à droite de l'assiette, on dispose le couteau côté tranchant vers l'intérieur et la cuillère à potage côté bombé vers le haut. Qu'à gauche, la fourchette est présentée pointes vers la nappe ; autrefois cela permettait d'exposer les armoiries de la maison gravées sur le manche. (Signalons qu'une fois de plus, les Anglais se démarquent : les pointes de leurs fourchettes regardent le plafond car ils avaient pour coutume de graver leurs fourchettes de l'autre côté du manche !) Apprenez-leur les différentes formes de verres à eau, à vin, à whisky, à liqueur. C'est une somme de raffinements culturels dans lesquels la France excelle. Si vous recevez un soir, profitez-en pour confier à votre enfant le pliage des serviettes. Enfin, un soir de raout familial, pourquoi ne pas prévoir un plan de table et faire décorer par le plus jeune les petits cartons indiquant les noms des invités ? Tout cela contribue à valoriser ce que l'on mange.

N'oublions pas de transmettre le plaisir de recevoir avec élégance.

Trois repas par jour : un rituel nécessaire

Il faut manger pour vivre, dit-on. J'ajouterai que, pour vivre mieux, il faut manger varié et à heures à peu près fixes.

Toutes les études le prouvent : prendre trois repas par jour est excellent pour la santé et si ces repas sont dégustés en famille, c'est encore mieux ! Dès lors, comment convaincre un enfant qu'il doit passer à table 1 092 fois par an ? Qu'à cette occasion, il doit s'asseoir correctement et bien se tenir ? Qu'il doit s'abstenir de grignoter entre les repas ? Qu'il doit tenir sa fourchette à gauche et son couteau à droite ? C'est une question de bien-être.

Et s'il suffisait de se mettre à table pour être en bonne santé ? Les Français figureraient en bonne place parmi les bien portants. En effet, cela ne se dément pas, en France, le repas demeure une institution. Nous mangeons à heures fixes. Une étude menée à l'échelle européenne livre une photographie édifiante du continent à l'heure du déjeuner : à 12 heures 30 pétantes, 57 % des Français sont à table contre 38 % des Belges, 20 % des Allemands, 14 % des Britanniques[1].

On a suffisamment raillé « la France paralysée entre midi et deux », « les Français champions de la pause-déjeuner ». Dans tous les clichés, il y a un fond de vrai. Les études le prouvent : le modèle alimentaire français est immuable. Depuis des lustres, nous prenons trois repas par jour. Imperturbables fines gueules, pas loin de 90 % des adultes dans notre pays petit-déjeunent entre 7 heures et 8 heures 30, déjeunent entre 12 heures et 13 heures 30 et dînent entre 19 heures et 20 heures 30[2]. Or il se trouve que ce mode de vie a du bon.

La régularité des trois repas quotidiens constitue une barrière efficace contre l'obésité. Dans les pays anglo-saxons, il est commun de se nourrir debout, dans le bus

---

1. Enquête Credoc (Centre de recherche pour l'étude et l'observation des conditions de vie) « Le modèle alimentaire français contribue à limiter le risque d'obésité », septembre 2010.

2. La stabilité des horaires pour les prises alimentaires en France a été confirmée par plusieurs enquêtes : celle du Credoc sur les Comportements et Consommations Alimentaires en France (CCAF 2007) et celles du Baromètre « Santé Nutrition » menées par l'Institut National de Prévention et d'Éducation pour la Santé (INPES 1996, 2002, 2008).

ou sur un coin de bureau, avec pour conséquence une alimentation insuffisante et peu équilibrée. Si la *lunch box* à la française tend à progresser (une récente étude auprès de 3 500 salariés du secteur privé montre que 28 % d'entre eux y ont recours)[1], il faut tout faire pour en améliorer le contenu afin qu'elle représente un vrai déjeuner[2]. C'est le meilleur moyen d'éviter les grignotages entre les repas.

Regardons l'apport calorique journalier d'un Américain (2 129 kcal par jour) : il est presque équivalent à celui d'un Français (2 072 kcal par jour). Mais tandis que l'Américain mange de façon dispersée, le Français concentre ses apports caloriques au moment des repas (petit-déjeuner, déjeuner, dîner) et grignote peu en dehors. Le pourcentage d'apports caloriques hors repas plafonne en France à 9,8 % de l'apport calorique journalier, contre 21,6 % aux États-Unis. Et ces 10 % d'écart, on les retrouve à l'heure du déjeuner. En effet, si l'apport calorique du dîner et du petit-déjeuner sont équivalents dans les deux pays, l'apport calorique du déjeuner est en France de 37,1 % des apports caloriques totaux de la journée contre 24 % pour les Américains[3]. Si 21,6 % des apports caloriques journaliers des Américains sont assurés par une nourriture hors repas répartie tout au long de la journée, cela s'explique en partie parce que l'Américain mange trop vite à midi et n'est pas rassasié.

Conséquence : en France, où l'on prend trois vrais repas par jour, où l'alimentation hors repas est deux fois

1. Étude Mesure Management Santé – Malakoff Médéric, février-mars 2011.

2. Nous y œuvrons ! Voir Yannick Alleno, Dr Patrick Serog, *Bien déjeuner dans ma boîte. 70 recettes faciles à emporter pour prendre soin de sa pause déjeuner*, éditions Laymon, 2011.

3. Enquête Credoc (Centre de recherche pour l'étude et l'observation des conditions de vie), « Le modèle alimentaire français contribue à limiter le risque d'obésité », septembre 2010.

moindre qu'aux États-Unis, la proportion de personnes obèses est inférieure de moitié (26,9 % aux États-Unis contre seulement 14,5 % en France[1]).

Sauvez la table familiale !

On prend ses repas sur une table. On pourrait penser que cela va de soi, pourtant la table de la salle à manger a bien failli disparaître. Encore aujourd'hui, elle est sérieusement menacée d'extinction. Un temps, les cuisines à l'américaine ont prospéré. L'idée est simple : on abat un mur pour ouvrir la cuisine sur le salon. Souvent, ce nouvel agencement entraîne la suppression de la salle à manger. Le salon paraît plus grand mais on finit par dîner juchés sur de hauts tabourets plus ou moins confortables, autour d'une espèce de bar, le plus souvent trop petit pour accueillir toute la famille. La télé n'est pas loin. L'un ou l'autre va aller s'installer à genoux devant la table basse pour « regarder un truc ». C'est la mort du repas de famille et, avec lui, de la transmission alimentaire.

Disposer d'une table qui puisse accueillir tout le monde me paraît essentiel. La table est le centre de la vie de famille. Ce n'est pas un hasard si le trousseau des jeunes mariées se composait de nappes brodées main et de ménagères en argent. Il est des traditions qui se perdent ! Dont acte. Mais si l'on renonce sans trop de regrets à l'argenterie ou aux nappes damassées, sauvons la table !

Rappelons qu'au Moyen Âge, on installait indifféremment la table du repas dans n'importe quelle pièce du foyer – d'où l'expression « mettre » ou « dresser la table » – et une fois le repas terminé, on rangeait

---

1. *Ibid.*

vaisselle, nappe, tréteaux et dessus-de-table. À l'époque, les principaux endroits où l'on dressait la table étaient les réfectoires dans les monastères ou les salles de réception dans les châteaux. Ce n'est qu'au XVIIIe siècle que sont nées les salles à manger privées. Menuisiers et ébénistes se sont alors occupés de fabriquer le mobilier nécessaire, tables chics, ovales, rondes ou rectangulaires, en bois nobles, noyer ou acajou. Petit à petit, la table de la salle à manger a épaissi son plateau, s'est enrichie d'ornements et de pieds de forme tourbillonnée. Elle s'est embourgeoisée et sophistiquée jusqu'à devenir ringarde. Le pompeux d'une table de salle à manger, on n'en a plus voulu. La table est redevenue nomade voire inexistante. On s'est mis à fondre la salle à manger et la cuisine en une seule pièce.

Encore une fois, sans nécessairement revenir à la solennité des salles à manger du XIXe, et quelle que soit la pièce qui l'accueille, soucions-nous de disposer chez nous d'une table où manger tous ensemble.

Au menu, entrée, plat, dessert :
transmettez le bon rythme

Que servir sur cette table ? Le repas doit comporter une entrée, un plat, un dessert. Or nous avons tendance à « contracter » nos repas.

Parmi les familles que je reçois, rares sont celles qui commencent le repas avec une entrée. C'est une erreur. L'entrée permet de dilater l'estomac, d'apporter des nutriments intéressants pour l'organisme et de diminuer rapidement la faim sans trop augmenter la note calorique du repas. En effet, la densité énergétique[1] d'une entrée

_____
1. La densité énergétique est la quantité d'énergie apportée par 100 g d'aliments.

est presque toujours inférieure à celle d'un plat principal mais sa densité nutritionnelle[1] est importante. Prendre une entrée permet de commencer à se rassasier et donc de se servir un peu moins du plat principal, en somme de manger plus léger. Par ailleurs, l'entrée est l'occasion pour les enfants de manger plus varié avec des crudités, qu'ils préfèrent en général aux légumes cuits accompagnant le plat de résistance. La plupart des enfants mangent carottes râpées, tomates, concombres, salades vertes, artichauts, plus facilement que haricots verts, épinards ou choux-fleurs.

L'entrée permet également d'allonger le temps du repas. Or il est préférable de manger lentement. Le temps de latence entre l'entrée et le plat principal est propice à la digestion et à l'émergence de la sensation de rassasiement. Celle-ci commence en général quinze minutes après le début du repas. La sensation de faim diminue alors. Mais si, d'emblée, on dévore, la faim persiste et on finit le repas avec, dans le ventre, une quantité de calories nettement supérieure à nos besoins.

L'entrée apprend aux enfants à réguler le volume de leur alimentation. L'hiver, n'hésitez pas à réhabiliter la soupe de légumes ! Elle dilate l'estomac, rassasie et permet de consommer des légumes de toutes sortes. Il en existe en sachets déshydratés mais ce ne sont pas mes préférées car elles sont très salées. Vous trouvez de très bonnes soupes liquides en briques ou en bouteilles ou encore congelées.

Si je tiens beaucoup à l'entrée, je transige volontiers sur le fromage, quatrième temps du repas traditionnel. D'autres aliments peuvent contribuer à l'apport en calcium.

---

1. La densité nutritionnelle, c'est le ratio de la teneur en un ou plusieurs nutriments (exprimée en grammes) sur l'apport énergétique (exprimé en kilocalories). La densité nutritionnelle s'exprime en g/100 kcal.

Il y en a – certes, en proportion bien moindre – dans les légumes. Pour obtenir une ration de 300 mg de calcium, il suffit de manger 30 g de gruyère mais il faudra ingurgiter 900 g de légumes ! Rien n'empêche de remplacer le fromage par un yaourt au dessert. Un pot de yaourt de 125 ml apporte 150 mg de calcium. Gardez seulement à l'esprit que la ration quotidienne de calcium ne doit pas être inférieure à 900 mg.

Concernant le dessert, n'oubliez pas de manger des fruits. Rien ne remplace un fruit et surtout pas un yaourt aux fruits. Il n'y a que 5 % de fruits dans un yaourt. On ne peut donc considérer qu'on croque un fruit en consommant un yaourt aux fraises !

Partager un repas en famille, prendre son temps et faire attention au contenu de notre assiette sont autant de comportements qui favorisent une bonne hygiène alimentaire. Des chercheurs ayant fait le lien entre mémoire et satiété affirment que plus le souvenir du repas précédent est vivace, moins la faim revient vite. Les anorexiques, hypermnésiques de l'alimentation, illustrent à l'extrême ce mécanisme : elles vous parlent sans arrêt de nourriture. Plus on a commenté le menu, et mieux on s'en souvient.

À tous égards, il est intéressant de parler avec les enfants de ce que l'on mange. D'une part, c'est une façon d'honorer la personne qui a préparé le repas, ce qui est toujours agréable. On pense au texte du bénédicité, la prière qui précède le repas catholique : « Bénissez-nous, Seigneur, bénissez ce repas, ceux qui l'ont préparé, et procurez du pain à ceux qui n'en ont pas. »

Ensuite, c'est l'occasion de donner quelques rudiments de gastronomie aux enfants. Parfaire sa culture générale n'est pas inutile, cela peut même se révéler crucial. Une des questions au Trivial Pursuit n'est-elle pas : « Qu'est-ce que la sauce gribiche ? » Ce sera l'occasion de marquer un point !

Enfin, quand on discute à table, on mange moins vite et c'est excellent pour la santé ! Encore une fois, le fast-food est un non-sens nutritionnel : malgré un apport calorique beaucoup trop élevé (un « menu maxi » arrosé d'un soda sucré, ça n'est pas diététique), le client de fast-food n'est pas rassasié à la fin de son repas. Il l'est d'autant moins en raison de la structure très molle du repas qui réduit énormément la mastication.

Si les Français passent plus de temps à table, c'est parce que le repas est étroitement associé à l'idée de convivialité. On ne mange pas uniquement pour se nourrir, on mange aussi pour le plaisir. D'ailleurs, le Français mange rarement tout seul. Il n'aime pas ça. Seuls 20 % des repas se déroulent sans vis-à-vis [1].

Antoine Blondin avait, en son temps, immortalisé la vision française du repas en solo, moment de désolation, expérience sans horizon : « Le geste de s'alimenter est triste chez l'homme seul ; il est dépourvu d'aisance, tantôt furtif, tantôt complaisant, vite maniaque. Depuis qu'il prenait ses repas au Stella, Fouquet essayait d'échapper à ces rites favorisés par le célibat, ces tics à la mie de pain dont les voyageurs de commerce, voraces et méticuleux, lui renvoyaient l'image touchante, assez obscène. Les rares femmes montraient ce qu'est la véritable indifférence, bâclant la formalité sans enjolivures, réellement en transit, mais il évitait de les regarder pour ne pas contrarier une fonction aussi naturelle. En revanche, la présence d'un couple le blessait, quand il le voyait s'assortir pour cette cérémonie, dont l'ordonnance courtoise lui rappelait que les êtres ne sont pas destinés à vivre en face d'une chaise vide. Et que dire de ces enfants jouisseurs, devant lesquels les pères

---

1. Enquête Credoc (Centre de recherche pour l'étude et l'observation des conditions de vie), « Le modèle alimentaire français contribue à limiter le risque d'obésité », septembre 2010.

gonflaient un goitre suffisant et giboyeux de pélican de passage ! Langouste pour deux, caneton pour deux, chambres à deux lits, lits à deux places..., le schéma de l'univers le réduisait à la portion en toutes choses. Mais c'est à table qu'il s'en rendait le mieux compte, où nuls doigts ne frôlaient les siens pour le pain et le sel, où l'éventail d'un vase de fleurs masquait en vain l'absence d'un sourire [1]. » Ce texte a quarante ans mais il pourrait dater d'hier : la convivialité du repas est ancrée dans notre culture.

À quelle heure on dîne ? Un rituel social

Il serait intéressant de réaliser des statistiques à propos du nombre de SMS échangés entre les adolescents et leurs parents aux alentours de 19 heures, SMS au contenu strictement identique : « À quelle heure on dîne ? » ou plus exactement « a kel h on dine ? »

Nous l'avons dit, le Français doit sa santé au fait de se nourrir trois fois par jour et à heures fixes. Mais cette discipline est contraignante.

Quatre soirs par semaine, il y a école le lendemain. Les enfants ne peuvent pas se coucher au-delà de 21 heures 30, 22 heures. On ne peut pas aller dormir, juste après le dîner. Idéalement, il faudrait se mettre à table à 19 heures 30. Or certains parents rentrent tard du bureau. Il y a aussi ceux qui font du sport après le travail. C'est un souci légitime d'hygiène de vie, mais il s'inscrit en contradiction totale avec l'idée du dîner familial. Rentrer à la maison à 21 heures 30, cela interdit de manger en famille. Et c'est très dommage.

Pour ceux qui reviennent tard du travail, essayez plutôt de réduire la pause-déjeuner pour pouvoir finir plus

---

1. Antoine Blondin, *Un singe en hiver*, éditions Gallimard, 1973.

tôt. Ceux qui pratiquent un sport peuvent le faire le week-end. Il y va du bien-être de tout le monde. Lorsque les parents sont absents tous les soirs, la famille se disloque.

Chaque début d'année, à la rentrée, pensez-y, aménagez vos horaires pour préserver au maximum le rendez-vous familial du dîner.

Le repas familial : une institution à géométrie variable

Je reconnais que servir un vrai repas tous les soirs de la semaine requiert une certaine opiniâtreté. Ne parlons pas des vacances, période maudite où il faut ajouter le déjeuner et multiplier le rituel par deux.

À mon sens, la clé de la réussite réside dans une claire répartition des rôles. Qui fait quoi ? L'un fera la cuisine et l'autre s'occupera des courses. En consultation, je suis toujours surpris de remarquer à quel point ces aspects de la vie quotidienne ne sont pas abordés entre les parents. Si l'on veut que ça marche, il faut se parler et trouver un accord familial sans quoi les frustrations s'accumulent. « J'en ai marre, c'est moi qui fais tout ! » La rengaine est connue.

Une répartition claire des rôles ne veut pas dire rigide. N'oubliez pas la notion de plaisir. Il est absurde que celui qui n'aime pas cuisiner soit chargé des repas. Quand l'un s'épuise ou que l'autre est débordé par son travail, il faut aménager les emplois du temps.

Qui met la table ? Qui débarrasse ? Qui remplit le lave-vaisselle ? Qui range la vaisselle propre ? Qui achète du pain ? Qui descend la poubelle ? Il me semble essentiel de prendre la peine de parler de ces questions-là sans quoi les problèmes surgissent au quotidien, à l'occasion de chacun des actes les plus routiniers. Toutes ces petites choses de la vie peuvent être sources de conflits comme faire l'objet d'une circulation harmonieuse parmi les membres de la famille. Pensez à distribuer les tâches entre parents et enfants.

Autre refrain entendu : « Je n'ai plus d'idées, je ne sais plus quoi leur préparer. » Rien n'interdit de se réunir en famille et d'élaborer des menus hebdomadaires qui seront d'autant mieux acceptés par les enfants qu'ils auront participé à leur sélection. Quitte à les aimanter sur le réfrigérateur.

Lorsque les parents se séparent, l'organisation change encore. On ne voit plus ses enfants qu'une semaine sur deux quand la garde est partagée, voire un week-end sur deux. On perd le contrôle. Difficile de savoir ce qui se passe chez l'autre. On a vite fait d'imaginer le pire et d'accuser l'autre parent de laxisme. Malheureusement, il arrive – et plus souvent qu'on ne l'imagine – que les conflits entre parents rejaillissent sur le contenu des repas des enfants. Certains voient là une façon de régler leurs comptes. « Maintenant, c'est mon tour, il est avec moi cette semaine et on va mener une vie fantastique. Chez toi, c'est d'une tristesse épouvantable, du reste ça l'a toujours été, etc. » Combien de fois ai-je entendu ce genre de conversations dans mon cabinet, alors que les deux parents accompagnaient en consultation un enfant ayant des problèmes de poids.

Lorsque l'un des deux parents voit peu son enfant, il a tendance à vouloir le gâter pendant les deux jours qu'il passe avec lui. À un enfant rond, il laissera manger ce qu'il veut sans surveillance, lui autorisera ce qui est interdit de l'autre côté. Résultat, tous les efforts fournis par l'enfant pendant la semaine sont réduits à néant. Quelle absurdité ! Il n'y a pas pire que d'établir une concurrence entre les deux maisons. Ne faites pas payer à l'enfant votre rancœur contre votre ex, ne prenez pas son alimentation en otage, essayez de vous coordonner, même si les relations ne sont pas excellentes. Et si vraiment le dialogue est rompu, faites au mieux pour servir des repas équilibrés. Il existe mille moyens de faire plaisir à un gamin, autres que de l'emmener dans un fast-food.

Après la séparation, vient le temps de la recomposition. On assiste à la création de deux nouvelles familles avec de nouveaux usages et de nouveaux équilibres à trouver. Les enfants s'adaptent. Rappelons tout de même que la transmission passe par les parents. Il n'est pas absolument prioritaire que le beau-père transmette à sa belle-fille son goût pour le cassoulet. Si l'on arrive à maintenir des repas équilibrés, c'est déjà formidable. Ne soyons pas trop ambitieux. Parfois, les enfants se ferment à l'influence d'un beau-père ou d'une belle-mère. Cela peut se comprendre. C'est même sain. La nourriture est une affaire d'identité ; or l'identité d'un enfant découle de celle de ses parents. Les enfants de parents divorcés ont besoin de repères. La nourriture en est un, c'est même un repère majeur. L'adolescent dont le père épouse en secondes noces une Marocaine ou une Strasbourgeoise ne deviendra pas nécessairement un inconditionnel de la pastilla ou de la choucroute. Ne lui en demandez pas tant. Assurez-vous simplement de maintenir le rituel du repas familial. Mais ne lui imposez pas de changer ses goûts.

Le repas de famille, c'est aussi la famille élargie. Le rôle d'une grand-mère, d'un grand-père, d'un oncle, d'une tante peut être capital. Il ne faut pas interférer sur ces influences « extérieures ». Les parents surveillent de plus près l'aspect nutritionnel des repas. Chez les grands-parents, l'aspect culturel et ludique est peut-être plus important. À chacun sa partition. La multiplication des expériences ouvre d'autant l'univers gastronomique des enfants. Les rencontres d'autres membres de la famille déclenchent parfois des émotions culinaires particulières.

Plus on ouvre l'éventail et mieux c'est. Et que dire d'une famille culturellement mixte ? Aller dîner chez sa grand-mère indienne est à coup sûr une expérience gustative enrichissante. C'est une chance !

Inventez vos propres rituels alimentaires

« La tradition est la régénération du feu et non la célébration des cendres », disait Gustav Mahler. Les rituels religieux déclenchent des repas de famille avec leurs mets traditionnels. Le dîner de Noël, le dîner de shabbat le vendredi soir, les fêtes de Pâques ou du Nouvel An... on y va en traînant des pieds mais on en revient le plus souvent enrichi.

La force de la religion permet de perpétuer rituels et traditions culinaires. Le poids législateur des religions est inégalable. Ceci posé, rien n'empêche d'inventer des rituels familiaux spécifiques. Ils seront laïques et modernes. Pourquoi pas un dîner familial devant la télé, de temps en temps, pour regarder le film du mardi soir ? Pourquoi pas un buffet campagnard le dimanche soir avec les produits achetés au marché le matin ? On peut donner à l'existence tous les rythmes qu'on veut. Le nombre de repas de fête n'est stipulé dans aucune loi. Les plaisirs de la bouche n'ont pas de limite.

N'hésitez pas à multiplier les occasions !

LE SAVIEZ-VOUS ?

1 : Comment mangent les Français ?

Enquête Sirest Ideas[1] :

– Les Français consomment un repas sur sept à l'extérieur contre un sur six pour les Espagnols, un sur trois pour les Britanniques et un sur deux pour les Américains.

– 33 % des Français actifs déjeunent hors de leur domicile. 88 % d'entre eux éprouvent le besoin d'être assis pour déjeuner.

– La pause-déjeuner oscille entre trente minutes et une heure (contre seulement dix-neuf minutes aux États-Unis).

---

1. Printemps-été 2007, enquête réalisée par le cabinet Gira-Sic Conseil auprès d'un échantillon de 635 personnes représentatives de la population française âgée de 15 ans et plus. La méthode : entretiens semi-directifs au téléphone, d'une durée de vingt à trente minutes.

QUE FAIRE, DOCTEUR ?

CAS N° 1 : Je ne suis pas un as du fourneau...

Ma femme ne sait pas cuisiner et moi j'ai horreur de ça. Nous avons trois enfants et je pense qu'ils mangent mieux à la cantine qu'à la maison. Chez nous, c'est pas bon. Nous avalons des plats préparés surgelés ou achetés chez le traiteur chinois du coin. Croyez-vous au repas de famille quand aucun des deux parents ne sait cuisiner ?

Mes suggestions :

Il est évident que lorsque la nourriture n'est pas bonne, le repas familial est mis à rude épreuve.

Solution numéro un : vous faire aider de manière plus ou moins fréquente par quelqu'un qui vient cuisiner chez vous et prépare des plats (blanquette de veau, bœuf bourguignon, tomates farcies, boulettes de viande ou de poisson, soupes variées) que vous congelez et mangez au fil de la semaine. Vous trouverez facilement des cuisinières ravies d'arrondir leurs fins de mois avec ce genre de petits travaux. À mon sens, c'est aussi important que de payer des cours de soutien scolaire à vos enfants.

Solution numéro deux : une nourriture simple et saine. À condition de trouver un bon boucher, il n'est pas sorcier de servir une viande grillée accompagnée de pâtes au beurre et parmesan, avec une salade de tomates en entrée. C'est à la portée de tout le monde. Si vous ne savez ni n'aimez cuisiner, faites simple. D'autant qu'on trouve au supermarché des produits d'aide culinaire de plus en plus sophistiqués. Aujourd'hui, c'est facile. La béchamel est à moitié préparée ; il n'y a plus qu'à verser la pâte du gâteau au chocolat dans un moule et à allumer le four ; les sauces sont toutes faites, les légumes déjà lavés et épluchés.

Solution numéro trois : mettez la famille à contribution. J'ai parmi mes patientes des grands-mères qui ont décidé de prendre des cours de cuisine. Elles font partie de cette première génération de femmes ayant choisi de concilier travail et vie familiale. Durant leur vie professionnelle, elles n'ont pas eu beaucoup de temps et n'ont transmis aucun savoir-faire à leurs enfants. Devenues grands-mères, elles veulent offrir à leurs petits-enfants les recettes de leur mère. Ce parcours est symptomatique de l'évolution des modes de vie ces cinquante dernières années. Ceux qui ont négligé le repas familial éprouvent un réel plaisir à y revenir. Il n'est jamais trop tard pour transmettre !

CAS N° 2 : Tout le monde à table, sauf maman !

Ma femme est un cordon-bleu. Elle prépare des repas délicieux, mais ne mange pas avec nous. Je suis assis avec mes enfants et elle multiplie les allers-retours entre la cuisine et la salle à manger ; elle grignote, elle picore, elle goûte les plats, elle sert. Cela ne correspond pas à l'idée que je me fais d'un repas familial. Sans compter qu'il est difficile d'instaurer une conversation...

Mes suggestions :
Vous avez tout à fait raison : la mère de famille a évidemment sa place à table. Une femme au fourneau pendant que sa famille mange est une vision

archaïque peu propice à la transmission car elle donne une image curieuse de la mère qui papillonne autour de la table. Elle est là, debout sans arrêt, comme une surveillante de cantine, un personnage extérieur et, au final, ne partage pas ce moment d'intimité. En conséquence, la transmission se bloque. Le fait d'être assis à table, de manger en même temps que les enfants, les mêmes aliments qu'eux et de parler ensemble est très important.

Si la mère fait tout et que le père se retrouve au niveau des enfants, quelque chose ne va pas. Une femme ne peut convaincre ces derniers de rester à table si elle-même s'agite. Le repas familial est un moment de disponibilité : une fois le plat posé, tous les membres de la famille partagent le même plaisir.

Je pense que si vous parvenez à intervenir davantage dans la préparation des repas et à aider la maîtresse de maison (sous ses ordres, cela va de soi : on ne peut éviter la hiérarchie en cuisine !), elle sera plus disponible pour venir s'asseoir avec vous et vos enfants.

Faites-lui une surprise avec la complicité de ceux-ci. Une fois par mois, inversez les rôles : c'est vous qui cuisinez !

CAS N° 3 : Manger sain et kasher... est-ce possible ?

À la maison, nous mangeons kasher ; notamment nous séparons le lait et la viande. Impossible d'offrir un laitage aux enfants sauf lorsque nous prenons du poisson. Je crains que mes enfants ne mangent pas suffisamment de laitages et manquent de calcium.

Mes suggestions :

La ration quotidienne nécessaire est entre 900 mg et 1 200 mg de calcium par jour. Un yaourt apporte 150 mg de calcium. Un verre de lait de 25 cl apporte 300 mg de calcium. Si vous parvenez à répartir dans la journée deux grands verres de lait et deux yaourts, votre enfant est parfaitement nourri.

Il faudra concentrer les prises de calcium au petit-déjeuner et au goûter. Pensez également à la solution du fromage au goûter : Kiri, P'tit Louis ou fromage blanc au miel. Par ailleurs, si la cacheroute interdit le laitage en cours ou en fin de repas, elle ne le bannit pas au début de celui-ci. Servez donc des crudités avec une sauce au yaourt.

La religion apporte souvent une dimension festive et familiale à l'alimentation qui me semble tout à fait favorable. Les rituels sont de bons vecteurs des principes alimentaires, dans la mesure où ils amènent les familles à s'intéresser à ce qu'elles mangent, ce qui est fondamental. Ensuite, il suffit d'aménager les menus en fonction des différentes contraintes.

J'ai des patients catholiques pratiquants qui observent le carême. Certains, les catholiques d'Orient notamment, ne mangent pas de viande pendant les quarante jours précédant le lundi de Pâques. Ce n'est pas un problème, on s'arrange ensemble afin qu'ils aient leur ration de protéines en remplaçant la viande par du poisson, des œufs ou des lentilles, légumes très riches en protéines.

Lorsqu'un adolescent fait le ramadan, je recommande qu'il se lève avant le lever du soleil pour manger un repas complet l'aidant à tenir toute la journée en classe. L'adolescent doit prendre deux repas dans la nuit : l'un, particulièrement consistant, à la tombée du jour, pour rompre le jeûne de la journée, l'autre, à l'aube, sous forme de brunch, incluant laitages, pain et œufs. Et, ainsi, il devrait très bien supporter son mois de ramadan ! Le plus compliqué est de ne pas faire la fête toute la nuit pour garder un bon rythme de sommeil.

Chapitre 8

L'identité d'un caddie

Parmi plusieurs caddies remplis, il y a tout à parier que vous sauriez reconnaître celui de votre mari ou de votre épouse, celui de votre mère, celui de votre enfant s'il vit seul. Dans la façon dont on fait ses courses transparaît une partie de soi. La gestion du budget, le goût pour certaines saveurs, pour des aliments particuliers, le choix d'une marque plutôt qu'une autre, sont propres à chacun. C'est un comportement, très personnel, que vos enfants observent et dont ils s'inspireront, une forme de patrimoine à partir duquel ils bâtiront un comportement à eux qui contiendra un peu du vôtre. Il me semble précieux d'apporter à l'acte de consommation – banal s'il en est – une épaisseur, pour tout dire une identité.

Faire les bonnes courses relève des enseignements que nous pouvons prodiguer et qui permettront aux enfants de se nourrir mieux.

Faire les courses : transmettre une méthode

Il est toujours édifiant d'observer des adolescents au supermarché.

Pour avoir passé pas mal de temps dans les allées des grandes surfaces à recenser et analyser la composition des produits qui y sont vendus, j'ai eu l'occasion d'enrichir ma connaissance du comportement de consommation de mes semblables[1]. Et cette expérience m'a convaincu de la nécessité d'apprendre aux plus jeunes à faire les courses. Rien ne ressemble plus à un caddie rempli par un étudiant entre seize et vingt ans, qu'un caddie rempli par un autre du même âge. Grosso modo, vous y trouverez des chips, des gâteaux, des amuse-gueules, des sodas, des cheeseburgers, au mieux quelques paquets de céréales. En un mot, le contenu diététique est calamiteux et les répercussions à long terme pour la santé aussi...

Celui qui remplit ses placards de *junk-food* a toutes les chances de se nourrir mal. On me rétorquera que l'étudiant achète ce qu'il y a de plus simple à préparer ; que c'est à la fois une question de temps et de budget ; que les jeunes n'ont ni la compétence, ni l'argent, ni l'équipement nécessaire pour cuisiner de bons repas. Ce à quoi je réponds qu'il est aussi simple, rapide et économique de se nourrir sainement. J'en suis convaincu et ne suis pas seul dans ce cas, à preuve la multiplication des livres de « recettes simples et pas chères[2] ». Tout est une question d'habitude. En réalité, c'est un pli à prendre.

Voilà pourquoi il me semble essentiel que les parents transmettent aux jeunes générations quelques rudiments

1. Patrick Serog et Jean-Michel Cohen, *Savoir manger*, Flammarion, 2011.

2. Voici quelques exemples, parmi d'autres, de livres de cuisine pour les jeunes :

– Losange, *220 recettes faciles et pas chères pour étudiants*, Éditions Artémis, 2007.

– Corinne Le Chenadec, *Cuisiner pas cher : 305 idées de recettes bon marché*, éditions Cap au Sud, 2007.

– Sabine Duhamel, *Bon et pas cher : 150 recettes à moins de 3 euros*, Éditions L'Étudiant, 2010.

d'organisation pour s'y retrouver dans un supermarché et approvisionner correctement leur chambre d'étudiant. Sans quoi ils s'exposent à un changement de régime brutal le jour où ils quittent la maison familiale. Livrés à eux-mêmes, ils ne savent pas comment s'y prendre, s'en remettent à des solutions qu'ils croient plus adaptées à leur mode de vie, comme de réchauffer un cheeseburger au four à micro-ondes alors qu'il est plus rapide, plus économique et plus nourrissant d'ouvrir une boîte de thon.

Je rencontre régulièrement des jeunes gens qui se plaignent d'avoir pris cinq ou six kilos au moment où ils sont partis de chez leurs parents. Ce n'est pas une fatalité, loin de là !

Associer les enfants, ce n'est pas du temps perdu

Faire les courses relève à la fois du plaisir (l'acte, agréable, de consommer s'accompagne de la perspective souriante d'un placard rempli) et de la corvée (il y a toujours mieux à faire que d'aller au supermarché). Activité paradoxale, donc, mais inéluctable. Le grand marché de la semaine, personne n'y coupe. Invariablement, il faut réapprovisionner la maison en lait, pâtes, yaourts, jus d'orange, confiseries, conserves, surgelés. Le moindre décalage et l'on s'expose au regard dépité de l'enfant qui referme le placard à gâteaux, attristé par l'état des lieux : trois vieux Figolu durs comme du ciment et le cadavre d'un paquet de Finger vide que la petite sœur n'a même pas pris la peine de jeter à la poubelle.

Qu'est-ce qu'on appelle de bonnes courses ?

Celles qui nous évitent de retourner tous les jours à l'épicerie du coin parce qu'on a oublié l'huile ou le riz, celles grâce auxquelles on a tout ce qu'il faut sous la main pour préparer un repas correct. En général, dans les maisons où l'on mange bien, les adultes ont une certaine science des courses. Or, comme dans tous les domaines, les enfants apprennent en voyant leurs parents faire. Rien de tel que l'exemple pour inculquer les bons réflexes. Aussi, n'hésitez pas à les associer aux courses et à la gestion des stocks. S'ils l'ont fait de temps en temps avec vous, ils sauront se débrouiller seuls le moment venu.

On peut mettre les plus jeunes à contribution pour faire le point sur les placards. Comment savoir ce dont on a besoin, si l'on ignore ce que l'on a ? Le petit vérifie l'état des stocks. C'est l'occasion pour lui d'apprendre où sont rangées les choses (enseignement qui sera utile au moment de mettre la table ou de cuisiner). Moutarde ? Huile ? Lait ? Un inventaire minutieux permet de rédiger une liste utile, deuxième étape à laquelle la petite classe peut également participer. Un enfant de six ans qui apprend à écrire sera fier de rédiger la liste pour toute la maisonnée sous la dictée de ses parents. Il suffit d'être patient et généreux en papier... C'est aussi le moment d'évoquer les différentes catégories d'aliments, premier pas vers la conception d'un menu. Laitages, condiments, liquides, féculents, céréales, fruits, légumes : une liste permet de passer en revue tous les éléments nécessaires à la composition d'un repas équilibré. Mine de rien, quelques principes essentiels de nutrition font leur chemin...

Vivent les marques !

Quoi acheter, où trouver ce qu'on cherche, comment faire vite et efficace ?

Les grandes surfaces sont de vrais labyrinthes. On a le sentiment que les responsables passent leur temps à réorganiser leurs rayonnages afin de nous faire sillonner les allées, partant du principe qu'un client séjournant plus longtemps en magasin consommera davantage. Et puis il y a la valse des promos qui nous détourne de nos produits habituels et nous pousse à acheter des choses dont on n'aura pas forcément l'usage. C'est étourdissant.

Si vos enfants ont plus de huit ans, emmenez-les avec vous pour qu'ils s'habituent à se repérer. De la même façon qu'on apprend à chercher un mot dans le dictionnaire, on est bien obligé d'apprendre à s'y retrouver dans un hypermarché. Qu'on le veuille ou non, cela fait partie de l'initiation du jeune urbain.

Mais une fois devant le bon rayonnage, quel produit choisir ?

Comment se décider entre douze références de pâtes ou de jambon sous vide ? D'autant que, là encore, les choses se corsent.

Jusqu'à présent, les marques étaient un repère. Dans chaque famille existaient des habitudes de consommation, on se fiait à un label testé et éprouvé par la génération précédente. Les enfants accoutumés à un tel produit le servaient à leur tour à la table de leurs enfants.

Le lait concentré Gloria a vu le jour dans les années 1930, la Vache qui rit a plus de quatre-vingt-dix ans, Banania est bientôt centenaire, la marque Lesieur a passé le cap des cent ans, tout comme le bouillon culinaire Kub Or, un grand classique, breveté en 1907 par le Suisse Julius Maggi, fils d'une émigrée italienne (elle lui avait sans doute transmis ses talents culinaires) ou les plats cuisinés William Saurin (la marque fut créée la même année). Il y a encore dans nos placards des marques nées au XIXᵉ siècle : Lindt (1845), Rivoire et Carret (1860), Lustucru (1871), La farine lactée de Nestlé (1868), Zan (1884), Quaker (1901). Les marques sont des bornes précieuses dans la chaîne de la transmission. Avec le temps, les produits s'intègrent dans notre univers visuel. Ce sont des images, des couleurs, des logos, une calligraphie. En un coup d'œil, on reconnaît immédiatement le damier bleu de Lustucru ou le Quaker aux joues roses des boîtes de porridge...

Ingérer un aliment suppose un haut niveau de confiance. Depuis que l'homme est homme, il se pose la même question : quoi manger pour survivre. Notre ancêtre préhistorique se méfiait des plantes qu'il ne connaissait pas. La crainte de l'empoisonnement alimentaire n'a pas disparu avec la modernité. Depuis la catastrophe de la vache folle, les crises sanitaires (plus ou moins fondées) s'enchaînent. Le consommateur contemporain voit des produits cancérigènes partout, il redoute les métaux lourds dans le ventre des poissons, nourrit la pire des suspicions envers les Organismes Génétiquement Modifiés, se méfie des farines animales et de la mondialisation en général.

Qu'est-ce qui est comestible, qu'est-ce qui ne l'est pas ? De nos jours, la cueillette ne se pratique plus dans les bois mais dans les allées des supermarchés. Et pour les cueilleurs de grandes surfaces que nous sommes, la marque est indéniablement un critère de qualité. Nos parents nous ont appris à quelles marques nous fier.

Or voilà que tout change : les marques tendent à disparaître. La vogue des marques de distributeurs (MDD), vouées à alléger la facture à la caisse, complique nos courses. Le phénomène est récent. La définition légale remonte à 2001 : « Est considéré comme produit vendu sous marque de distributeur le produit dont les caractéristiques ont été définies par l'entreprise ou le groupe d'entreprises qui en assure la vente au détail et qui est le propriétaire de la marque sous laquelle il est vendu. » On trouve dans les grandes surfaces des produits au nom de l'enseigne (Auchan, Carrefour, Monoprix) ou arborant le nom d'une marque créée par le distributeur (on les appelle des « marques propres ») comme « Reflets de France » chez Carrefour ou « La Marque Repère » de Leclerc. Les rayonnages se métamorphosent et nos repères, justement, se brouillent. C'est tout un pan d'expérience qui s'écroule et tout un apprentissage à refaire car nos parents ne nous ont pas appris ce que valent les produits distribués par le groupe Mousquetaires (Intermarché, Écomarché, etc.), les charcuteries labellisées « Monique Ranou » ou les produits laitiers « Pâturages ».

Les produits de distributeurs sont le plus souvent moins chers que ceux de marques nationales. Seulement, on les connaît mal. Ça viendra, à condition que les enseignes laissent aux nouvelles étiquettes le temps de se pérenniser sur une ou deux générations. Il faut du temps pour implanter une habitude d'achat. Pour qu'apparaisse une transmission, il faut qu'il y ait tradition, or la tradition familiale résulte de l'habitude. Le *turnover* est aujourd'hui si rapide que le consommateur n'a plus le temps d'instaurer des habitudes de consommation et donc plus le moyen de transmettre.

Si j'ose dire : le consommateur a perdu ses repères, il ne trouve plus ses marques !

Le chemin de croix des étiquettes : tout un apprentissage !

C'est une révolution à laquelle il va falloir faire face.

Pour ce faire, nous sommes aidés par des législations de plus en plus rigoureuses concernant l'étiquetage. La plupart des produits brillent de mille mentions attrayantes : « allégé », « riche en fibres », « sans sucres ajoutés ». Attention : informations et allégations sont deux messages de nature bien différente. Une allégation est un message ou une représentation sous la forme d'images, d'éléments graphiques ou de symboles, qui affirme ou simplement suggère qu'une denrée alimentaire possède des caractéristiques particulières, dans le domaine de la santé ou de la nutrition. L'entrée en vigueur, dans ce domaine, de règlements et directives européennes[1] vise à interdire les allégations mensongères et à permettre au consommateur d'acheter les produits en toute connaissance. Encore faut-il se donner la peine de lire les informations sur les emballages, ce qui peut s'avérer fastidieux. Mais c'est désormais une habitude à prendre et à transmettre impérativement à vos enfants. Un consommateur de plus en plus informé, faut-il s'en plaindre ? Profitons-en plutôt et adaptons-nous à cette donne.

Les fabricants sont tenus de mentionner sur les emballages la composition des produits ainsi que leur valeur nutritionnelle. Les boîtes fourmillent d'informations, écritures minuscules évidemment décourageantes. Impossible de tout lire. Recherchez en priorité les informations qui vous concernent. Si vous ou un membre de votre famille, êtes allergique au gluten, aux arachides, à l'œuf ou au blé, lisez avec attention la composition du produit que vous achetez. Laissez tomber le reste !

Comment reconnaître votre produit favori dès lors que la grande surface dans laquelle vous faites vos courses ne distribue plus votre marque habituelle ? Voilà une autre raison de lire avec attention la composition. Prenons l'exemple du double concentré de tomates. Ingrédient essentiel, il constitue « un fond de placard », on en a toujours besoin et il se conserve très longtemps (jusqu'à deux ans). Si vous ne trouvez plus celui de votre marque

---

1. Règlement (CE) n°1924/2006 du Parlement européen et du Conseil du 20 décembre 2006 concernant les allégations nutritionnelles et de santé portant sur les denrées alimentaires. Ce règlement complète :
– la directive 2000/13/CE du Parlement européen et du Conseil du 20 mars 2000 relative au rapprochement des États membres concernant l'étiquetage et la présentation des denrées alimentaires ainsi que la publicité faite à leur égard ;
– la directive 2006/114/CE du Parlement européen et du Conseil du 12 décembre 2006 en matière de publicité trompeuse et de publicité comparative.

habituelle, sachez (et apprenez à vos enfants) que le vrai double concentré de tomates affiche un ratio tomates/eau supérieur à 28 %. Quelle que soit la marque, si vous découvrez ce chiffre parmi les informations, vous êtes sûr de ce que vous achetez. C'est un moyen de s'y retrouver.

Quelle est la différence entre un vrai et un faux beurre ? Le beurre contient 82 % de matières grasses. Tous les produits similaires qui ne contiennent pas 82 % de matières grasses sont soit des pâtes à tartiner, soit des margarines, soit des beurres allégés.

Ce chamboulement dans les marques nous oblige à connaître les produits. Ce n'est pas un mal. Cela nous oblige à apprendre aux enfants ce qu'ils mangent et à faire la différence entre plusieurs produits qui se ressemblent. Ils ont la même apparence mais pas la même composition et surtout ils n'ont pas le même goût. Le beurre a un goût unique, inimitable.

Souvent, lorsque vous êtes hésitant devant un rayon, vous vous reportez aux informations relatives à la valeur nutritionnelle. C'est un élément de comparaison entre différentes marques du même produit. Selon que vous voulez maigrir ou grossir, que vous attendez d'un produit un apport énergétique suffisant pour exercer une activité sportive, que vous souffrez d'une carence passagère en fer... à chaque profil son information. Parmi toutes les rubriques recensées, les indications intéressantes diffèrent également selon les aliments : pour certains, vous allez vous concentrer sur le pourcentage de graisses, pour d'autres sur le contenu en vitamine D, les protéines, les lipides, etc. Ne cherchez pas de la vitamine D dans du Coca-Cola !

Si vous voulez comparer deux marques du même aliment, reportez-vous à la colonne indiquant « la valeur nutritionnelle moyenne pour 100 g ». La « valeur nutritionnelle par portion » ne permet pas la comparaison car les portions varient. Pour des céréales, par exemple, seule la valeur nutritionnelle pour 100 g indiquera lesquelles sont plus caloriques, plus riches en fibres, en glucides, etc. C'est la seule façon de retrouver les produits auxquels vous étiez habitué, dès lors qu'ils sont commercialisés sous d'autres labels. Quelles que soient les marques auxquelles vous étiez accoutumé, si d'aventure vous ne les voyiez plus dans votre hypermarché, il faudra donc faire l'effort de dénicher des produits similaires parmi les MDD. Vous pourrez ainsi bénéficier de prix plus attractifs.

Le juste prix : se faire plaisir pour pas cher

Savoir ce que l'on achète est une chose, savoir à quel prix on le paie en est une autre. Il n'est pas inutile de sensibiliser vos enfants à la contrainte du budget. Leur indiquer avant tout que le seul tarif qui permette la comparaison n'est pas le prix à l'unité mais celui au kilo ou au litre. Certains packagings sont trompeurs. Le prix au poids ou à la contenance est le seul élément de comparaison fiable.

Les jeunes doivent s'appliquer à se nourrir sainement sans sacrifier leurs économies. L'aliment imbattable reste évidemment le paquet d'un kilo de pâtes MDD que l'on paie un euro et quelques centimes. Un euro pour près de dix portions, qui dit mieux ? Mais on n'a pas forcément envie de manger des pâtes à tous les repas ! Douze œufs à 3 euros vous reviennent à cinquante centimes l'omelette, à raison de deux œufs par personne. C'est acceptable. Un kilo de lentilles vertes à 3 euros (il durera six mois), un peu de crudités avec un pied de feuille de chêne à 1,30 euro, des pommes de terre charlotte à 1,70 euro le kilo, une boîte de thon à 1,55 euro ou même dix steaks hachés surgelés à 6,60 euros… Apprenez à vos enfants à ne pas acheter toujours la même chose. Se faire plaisir pour pas cher évite le poids épouvantable de la routine. Encore une fois, il est indispensable d'élargir son répertoire alimentaire.

Inutile de se ruiner avec des produits enrichis en vitamines. Ils sont plus chers, or une alimentation variée apportera la même quantité de nutriments.

Faire des réserves :
enseignez la conservation des aliments

Constituer des réserves utiles requiert une certaine expérience. Il faut avoir tenu une maison pour savoir quoi acheter. J'affirme qu'entre les surgelés, les conserves et les produits secs, on peut facilement soutenir un siège d'un mois. Montrez aux enfants comment élaborer un stock judicieux en jonglant avec les différents moyens de conservation. Lorsqu'on achète en grande quantité au moment des promotions, c'est moins cher. Les plaques de beurre se congèlent très bien. Achetez-en cinq d'un coup et congelez-en quatre. Les légumes seront surgelés ou en boîte, les protéines seront surgelées (blancs de poulet, steaks hachés, crevettes, filets de sole). La baguette dont on n'aura mangé qu'une moitié ? Au congélateur ! On la réchauffera au four en cinq minutes. Ajoutez les produits secs (pâtes, riz, lentilles, semoule), un fond d'épices, les condiments, herbes déshydratées et vous avez une cuisine qui tourne à merveille[1].

Lorsqu'on revient chez soi avec des courses pour une ou plusieurs semaines, chacun range à sa façon. On a tous notre propre « logique des placards ». Mais tout le monde s'accordera à remiser au fond les produits dont la date de péremption est la plus lointaine, et devant ceux qu'il faut consommer en premier. Les enfants (et

---

1. Voir Le saviez-vous ? n° 1, p. 201 : *Les réserves du mois ou comment ne pas être pris de court.*

parfois les adultes) ne connaissent pas forcément la nuance entre la mention « à consommer de préférence avant le » et « à consommer jusqu'au ».

La première indication, aussi dénommée DLUO (date limite d'utilisation optimale), le plus souvent appliquée sur les conserves ou les produits secs, offre une certaine souplesse : au-delà de cette date, on jugera soi-même de la fraîcheur et de la qualité gustative de la denrée. Attention toutefois aux boîtes de conserve bombées ! Elles doivent être immédiatement jetées sans regret car elles présentent un risque d'intoxication sévère.

L'indication « à consommer jusqu'au » (aussi signalée par le sigle DLC, date limite de consommation), le plus souvent appliquée sur les produits frais (yaourts, charcuteries, viandes fraîches, plats cuisinés réfrigérés) est, elle, impérative. Entendons-nous : l'important est de ne pas acheter un produit en magasin qui a dépassé sa date limite de consommation. Mais chez soi, si l'on a franchi le seuil d'un à deux jours, on peut, sans risque, consommer le produit. Un yaourt, du jambon sous vide, des œufs, du fromage, tous ces aliments comportant une DLC peuvent être mangés dans les deux jours qui suivent la date indiquée, à condition que l'odeur et l'aspect soient appétissants. Passés deux jours (ou trois pour les œufs), on jette.

Attention : une fois l'emballage ouvert, la date de péremption n'a plus de sens. Sachez qu'une bouteille de lait pasteurisé ouverte se conserve trois jours au frais. Le lait stérilisé UHT est bon jusqu'à sept jours après ouverture du pack. Le beurre pasteurisé se garde un mois dans la porte du frigo. Le ketchup ouvert se conserve deux mois. Lorsque vous nettoyez votre réfrigérateur, profitez-en donc pour vérifier les dates de péremption.

Certaines denrées comme le sel, l'eau, le café ou le thé se gardent indéfiniment (même si les fabricants indiquent une date de péremption, par mesure de pré-caution). Les produits secs (riz, pâtes, lentilles, semoules, haricots) sont également impérissables tant qu'ils sont conservés dans un lieu sec. Il suffit de s'assurer qu'ils n'ont pas germé.

L'outil-clé de la conservation, c'est le film alimentaire qui maintient la fraîcheur des aliments. Il existe mille principes et astuces de conservation [1], parmi lesquels quelques axiomes essentiels. Ne rangez jamais au frigo une boîte de conserve ouverte. Mettez l'aliment dans un bol que vous recouvrez d'un film alimentaire. Poissons, viandes hachées et crustacés doivent être conservés dans la zone la plus froide du réfrigérateur, à 2 ou 3 °C, et consommés dans les 24 heures suivant l'achat. Viandes et volailles peuvent être stockées trois jours entre 3 et 5° C (partie intermédiaire du frigo). Charcuteries et plats cuisinés peuvent être consommés dans les six jours. Fruits, légumes et herbes fraîches se portent mieux dans le bac à légumes. Au-delà de cinq jours, ils commencent à perdre leur valeur nutritive.

La transmission alimentaire se « cache » aussi dans ces quelques règles d'hygiène élémentaire. Un réfrigérateur se nettoie tous les quinze jours. Et, évidemment, il ne faut jamais interrompre la chaîne du froid. Autant de règles qu'il est bon d'apprendre en famille.

Leçon de choses chez le petit commerçant

Que le grand marché de la semaine ne vous dissuade pas de fréquenter avec vos enfants les artisans-commerçants du coin, véritables conservatoires de la gastronomie française. N'hésitez pas à emmener les jeunes chez le fromager, c'est mieux que de les laisser devant la console de jeu ou la télé. Comme dans tous les domaines, la routine

---

1. Voir Le saviez-vous ? n° 3, p. 205 : *Quelques astuces pour la conservation des aliments.*

nous guette au moment de faire les courses et l'on a tendance à acheter toujours la même chose. Les étals des fromagers sont splendides. Devant une telle variété, les enfants peuvent être attirés par une couleur, une forme, un nom curieux (pourquoi pas un bouton de culotte, chèvre délicieux et de petite taille comme son nom l'indique). Ce sera l'occasion de découvertes pour eux comme pour vous. Forcez-vous, chaque fois, à acheter un fromage que vous n'avez encore jamais goûté et vous vous réservez de bonnes surprises. Je ne me lasse pas d'observer l'aspect des croûtes des fromages, il y a des croûtes drôles, molletonnées ou parfaitement lisses, quadrillées...

À force de vous accompagner chez le boucher, les jeunes finiront par savoir ce qu'est un mignon de porc, un grenadin de veau, une souris d'agneau, une araignée de bœuf. De même qu'au marché, ils apprendront qu'il vaut mieux des Amandines, des Belles de Fontenay ou de la Roseval pour les pommes de terre vapeur, de la Bintje pour la purée, de la Charlotte pour les pommes de terre sautées. Si vous ne connaissez pas tous ces noms, n'hésitez pas à interroger le marchand, il sera heureux de vous transmettre son savoir.

Un nutritionniste ne devrait pas encourager la consommation de pâtisseries, néanmoins, si vous emmenez votre enfant s'acheter un goûter à la boulangerie, il me semble séduisant de s'éloigner parfois du pain au chocolat ou du chausson aux pommes et de lui proposer un Paris-Brest, 100 g de Pets-de-nonnes, ou un Opéra. Le vocabulaire gastronomique fait partie de notre culture culinaire, le transmettre est la seule façon de préserver notre patrimoine. Si l'on veut que nos enfants cuisinent, il est indispensable qu'ils sachent nommer les aliments. Qui veut devenir musicien étudie le solfège !

LE SAVIEZ-VOUS ?

1 : Les réserves du mois
ou comment ne pas être pris de court

Apprenez aux jeunes à établir une liste de produits dont ils disposeront en permanence et qui leur permettront de cuisiner un repas à l'improviste. Voici un exemple de liste.

– Condiments en pots, tubes, bouteilles :
Huile
Vinaigre
Moutarde
Ketchup
Mayonnaise
Sauce soja
Cornichons
Tapenade
Épices (noix de muscade, curry, cannelle, etc.) en pots, sachets
Herbes lyophilisées (origan, persil, herbes de Provence, etc.)

– Féculents (en sachets ou boîtes) :
Riz
Pâtes
Couscous
Boulgour
Légumes secs (haricots blancs, rouges, pois chiches, lentilles)

– Conserves, pots en verre, boîtes en fer-blanc et Doypacks :
Thon

Maquereaux
Sardines
Anchois
Légumes verts
Maïs
Cœurs de palmier
Olives
Soupes en brique
Compotes de fruits

– Au réfrigérateur :
Lait
Jus de fruit
Citrons
Ketchup
Mayonnaise
Moutarde
Ces trois derniers condiments sont à conserver
au réfrigérateur après ouverture.

– Aides culinaires :
Coulis de tomates
Concentré de tomates
Tomates pelées
Crème fraîche allégée longue conservation
Béchamel
Chapelure
Farine
Maïzena
Bouillon en cube
Miel
Confiture

– Au congélateur :
Oignons coupés
Ail haché

Herbes (persil, ciboulette, etc.)
Pâte feuilletée
Beurre
Blancs de volaille
Steaks hachés
Crustacés (crevettes, moules, etc.)
Filets de poisson
Nuggets et escalopes cordon-bleu
Légumes au choix
Ravioles de Royans

2 : Menus de placard : un jeu pour se régaler

Apprenez à vos enfants comment faire un vrai repas avec ce qu'ils ont sous la main, en stock dans les placards ou au congélateur. On peut faire à l'improviste un repas de roi (entrée, plat, dessert) en n'utilisant que des produits de « fond de placard ».

Pour les entrées, adaptez-vous à la saison.

En hiver, ouvrez le repas avec une soupe ou un bouillon. Préférez les soupes liquides aux sachets déshydratés, elles sont moins salées.

Au printemps, on ouvrira une boîte de cœurs d'artichaut, ou on servira des cœurs de palmier voire des asperges (on en trouve d'excellentes, conditionnées dans des pots de verre, qui se conservent très longtemps).

L'été, la soupe froide désaltère et rafraîchit. On trouve au rayon surgelé des soupes de concombre à la menthe, des soupes de melon ou des gaspachos.

À l'automne, c'est la rentrée, tout le monde est débordé. Je recommande une petite macédoine de légumes en conserve, à laquelle vous ajouterez un peu de mayonnaise ou une vinaigrette légère. Vous êtes sûr de faire un tabac auprès des enfants.

Pour le plat principal, le congélateur est du plus grand secours : poissons, viandes, blancs de poulet, moules, crevettes, etc. Autre option, piocher dans le stock de conserves dans lequel vous trouverez des harengs marinés ou fumés, des maquereaux au vin blanc, à la tomate ou à la moutarde, et évidemment du thon. Sachez que le thon au naturel de race alba-core est plus maigre que le thon blanc et/ou le thon rouge. Attention aux conserves de foie de morue, un peu trop riche en lipides.

Le jeu consiste à ne jamais être pris au dépourvu, même les jours de fête.

En plat de résistance, les grands soirs, servez des coquilles Saint-Jacques. Un conseil : après les avoir sorties du congélateur, laissez-les se réchauffer dans un peu de lait avant de les poêler dans un fond d'huile avec du basilic déshydraté ou surgelé.

Épinards, fèves, courgettes, marrons, haricots verts... On trouve tous les légumes en conserves ou surgelés. Il n'y a guère que les crudités qui ne puissent se conserver. Il n'est pas inintéressant de sensibiliser les enfants aux nuances de saveur qui séparent un même légume en boîte, frais ou sur-gelé. Faites l'expérience avec les petits pois.

Les champignons en boîte sont un excellent accompagnement. Il n'y a pas plus pénible à laver que le champignon, d'où l'intérêt de les utiliser en boîte ou déshydratés. Les enfants aiment les cham-pignons ; or, je remarque que les parents y pensent peu. Voilà un légume qui se marie à merveille avec les œufs, la viande, les pâtes. C'est simple à prépa-rer et très peu calorique : 20 kcal pour 100 g de champignons de Paris ! Servez-les revenus à la poêle avec un jus de citron et de la crème fraîche. Autrefois, on allait à la cueillette aux champignons, occasion magnifique de transmission. Dans les odeurs d'humus de l'automne, en pleine forêt, on apprenait aux enfants quelles variétés étaient comestibles. Aujourd'hui, non seulement cette science se perd, les enfants savent à peine distinguer une girolle d'un cèpe, mais, pire, on oublie le champignon de base. Réhabilitons-le ! À défaut de le récolter dans nos paniers, pensons à le mettre dans nos assiettes !

Si vous servez des pâtes en plat de résistance, ajoutez-y du jambon – au moins 100 g –, de la crème ou du fromage pour en faire un plat complet.

Au dessert, vous pouvez proposer des crèmes au caramel, au chocolat ou à la vanille grâce aux sachets tout préparés. Le lait que vous y ajouterez apportera du calcium et des protéines. Très pratiques également, les fruits en conserve. Si vous les choisissez allégés, c'est-à-dire avec un sirop pas trop sucré, vous ne consommerez guère plus de calories qu'en mangeant des fruits frais. Si vous surveillez votre poids, jetez le jus.

3 : Quelques astuces
pour la conservation des aliments

Sont réunies ici quelques astuces pour mieux conserver les aliments. Pour en découvrir davantage, n'hésitez pas à questionner les plus fins cuistots de la famille[1].

---

1. Vous pouvez aussi vous référer à l'ouvrage suivant, qui regorge de conseils : Inès Peyret, *Le Guide pratique des meilleures astuces-minute*, éditions du Dauphin, 2006.

1. Une éponge sèche placée dans le bac à légumes du réfrigérateur absorbe l'humidité et permet de conserver les fruits et légumes plus longtemps.

2. Évitez de conserver vos légumes dans des sacs en plastique. Ils resteront plus frais si vous les placez dans des sacs en papier et au réfrigérateur.

3. Les asperges se conservent mieux lorsque l'on coupe le bout des queues et qu'on les place debout dans un verre contenant une petite quantité d'eau.

4. Les herbes fraîches et le céleri gardent leur fraîcheur s'ils sont conservés debout dans un pot avec un fond d'eau.

5. Ne stockez pas les pommes de terre et les oignons ensemble : chacun de ces légumes émet des gaz susceptibles de faire pourrir l'autre. Pour empêcher les pommes de terre de germer, ajoutez quelques pommes fruits à l'endroit où vous stockez les légumes.

6. Pour rafraîchir les épinards flétris, plongez-les dans de l'eau avec un trait de vinaigre.

7. Pour éviter que le fromage ne moisisse, mettez un morceau de sucre ou une pincée de sel dans la boîte à fromage. Pour absorber les odeurs trop puissantes ajoutez un brin de thym.

QUE FAIRE, DOCTEUR ?

CAS N° 1 : Que lire sur les étiquettes ?

Avec l'apparition des marques de distributeurs, on s'y perd ! Lire les étiquettes, je veux bien, mais c'est long et fastidieux. Je baisse les bras et j'attrape le produit qui se trouve devant moi. Comment s'y prendre ? Parmi la foison d'informations mentionnées sur les emballages, lesquelles dois-je regarder en priorité ?

Mes suggestions :

Pas de panique, je vais vous aider car la réponse varie selon le produit.

1. Lorsque vous choisissez une huile, assurez-vous qu'elle contient à la fois des oméga 6 (ou acide linoléique) et des oméga 3 (ou acide alpha-linolénique). L'huile de colza et l'huile de noix contiennent ces deux acides gras essentiels. Rien n'empêche de leur associer une huile d'olive ou une huile de tournesol selon votre goût et votre tradition culinaire. Vous pouvez aussi utiliser des huiles, comme Isio 4, qui sont déjà un mélange d'huiles d'olive et de colza et vous apportent les quatre nutriments essentiels : oméga 3, oméga 6, vitamine D, vitamine E.

2. Au rayon viande faites votre choix en fonction du pourcentage de matières grasses. Vous avez des viandes à 5, 10 ou 15 % de matières grasses. Si l'un de vos enfants est dans une phase de vigilance, choisissez les plus maigres, mais rien n'interdit de se faire plaisir de temps en temps avec une bonne côte de bœuf que vous aurez pris soin de bien dégraisser.

3. Pour les gâteaux, regardez la teneur en sucres et en lipides. Ensuite, libre à vous de choisir des gâteaux majoritairement sucrés et peu gras (Paille d'or, Figolu, boudoirs, Chamonix) ou des biscuits moyennement gras et moyennement sucrés de type Petit Beurre ; ou enfin, les gâteaux de tous les péchés, nappés de chocolat, contenant beaucoup de lipides et de glucides.

Même critère pour les confiseries : surveillez le pourcentage de lipides et préférez les moins grasses.

4. Le beurre peut être plus ou moins gras. Allégé, il ne contient que 41 % de matières grasses. Le beurre standard en contient 82 %. Vous pouvez très bien consommer ces produits en alternance.

5. Au rayon des laitages, les laits fermentés sont souvent bien plus gras que les yaourts. Regardez le pourcentage de matières grasses et comparez.

6. Pour les poissons surgelés panés, vérifiez la quantité de poisson et de panure. Choisissez le produit qui propose la plus grande quantité de poisson.

7. Lorsque vous choisissez un plat cuisiné, vérifiez le rapport protéines/lipides. La quantité de protéines doit être supérieure à celle des lipides.

8. Si vous achetez des fruits au sirop, privilégiez les produits au sirop léger, ils sont moins sucrés.

9. Au rayon boissons, pour tous les sodas, le critère est la quantité de sucres, indiquée sous la forme : « glucides pour 100 ml ». Les boissons sont sans sucre, un peu sucrées ou très sucrées. Pour vous faire une idée, comptez en morceaux de sucre, sachant qu'un morceau de sucre, c'est 5 g de sucre. Exemple : le Coca-Cola affiche 10 g de sucres pour 100 ml. Mais attention, 100 ml, c'est un tout petit verre de coca, la contenance d'un petit

verre à moutarde. Une canette de soda contient 330 ml (soit six à sept morceaux de sucre). Le Coca zéro ou light ne contient pas de sucre.

En règle générale, préférez les boissons les moins sucrées. Ce ne sont pas toujours celles que l'on croit. Lisez les étiquettes et vous serez surpris. Vous verrez que certains jus de fruits sont aussi sucrés que les sodas. Le jus de pomme est plus sucré que l'Ice Tea et le jus de raisin plus sucré que le Coca-Cola. Simplement, il y a des vitamines dans les jus de fruits, pas dans les sodas. Mais ils sont aussi sucrés, donc aussi caloriques.

Le plus simple reste encore de boire de l'eau le plus souvent possible !

CAS N° 2 : Jambon-coquillettes, jambon-purée, croque-monsieur au jambon...

J'ai deux enfants dont l'une, quatre ans, a des problèmes de poids. Elle est déjà en situation de surpoids. Je dois surveiller ce qu'elle mange mais, bien sûr, je sers des menus communs pour elle et son grand frère de six ans. L'un des aliments qui revient souvent sur la table, c'est le jambon cuit car je sais que c'est ce qu'il y a de moins gras parmi tous les produits de charcuterie. Les enfants aiment, c'est une source de protéines et facile à préparer. Mon supermarché vend différentes marques de jambon. Laquelle choisir ?

Mes suggestions :
Du jambon supérieur sinon rien !
Le jambon est, comme vous le dites, une excellente source de protéines. Sous vide, il se conserve

très longtemps au frigo. C'est une base extrêmement pratique pour de nombreux plats de résistance.

La mention « supérieur » est une garantie de
qualité. Un jambon sous vide qui n'est pas « supérieur » a toutes les chances d'avoir été fabriqué
avec des bas morceaux agglomérés. On lui aura
ajouté des polyphosphates et un gélifiant (c'est le
cas du jambon dit « standard »).

Mais sachez que tous les jambons sont colorés,
même ceux que vous achetez chez le boucher et
qui ne sont pas sous vide. Le jambon n'est pas
naturellement rose mais gris (de même que le sirop
de menthe n'est pas naturellement vert). Mais qui
achèterait du jambon gris ? Voilà pourquoi les fabricants ajoutent au jambon cuit des sels nitrités, également appelés sels roses. Pour complaire à notre
imaginaire ! Lorsqu'il est correctement dosé, le sel
nitrité n'est en aucun cas nuisible à la santé. Toutefois, pour éviter d'ajouter des nitrites, certains fabricants ont choisi d'allonger les temps de salaison et
de cuisson. Ces jambons-là sont excellents : ne
vous méfiez pas des jambons gris ! Et pensez à
expliquer à vos enfants la composition des produits
que vous leur servez. Ils sauront mieux faire leurs
courses le jour où ils seront aux manettes.

Chapitre 9

Cuisiner ensemble : incitez vos enfants à mettre la main à la pâte

Quoi de plus sexy qu'une raviole aux herbes ?

Mitonner des petits plats demeure l'un des loisirs préférés des Français. La cuisine n'a jamais été autant à la mode. Il suffit d'allumer sa télévision pour s'en convaincre. Aux émissions de recettes et de terroir se sont ajoutés les shows ultra-modernes de téléréalité. Si bien qu'on surprend nos enfants scotchés au téléviseur devant *MasterChef,* saisis par un nouveau type de suspense : Jeff réussira-t-il son navarin d'agneau ? Quelle allure aura le saint-honoré de Nathalie ? Karim finira-t-il dans les temps son petit salé aux lentilles ? *Master-Chef, Top Chef, Oui Chef, Un dîner presque parfait, Miam...* aujourd'hui, à la télé, il n'y a pas plus tendance qu'une raviole aux herbes ou un petit farci à la provençale. Qui a dit que les traditions perdaient de leur charme ?

Le 23 septembre 2011, à l'occasion de la première journée nationale de la gastronomie, c'est le ministre de la Culture Frédéric Mitterrand, lui-même, qui cuisinait entrée, plat, dessert pour quatre candidats d'une de ces émissions. « Je fais bien le bœuf mode, le gigot de sept heures et le rôti de porc, des plats de ma grand-mère et de ma mère », confiait-il à cette occasion. La transmission est au cœur de l'art culinaire. Il est loin le temps où les mères au foyer préparaient le dîner en attendant que leur mari rentre du bureau. La femme moderne, souvent fatiguée à l'issue d'une rude journée de travail, se demande pour la énième fois : « Mais que vais-je encore préparer à manger aujourd'hui ? »

Et pourtant, la transmission perdure. La plupart des aspirants-chefs interviewés à la télévision prononcent la même phrase : « J'ai appris en regardant ma mère. » Et si ce n'est pas une mère, c'est une grand-mère, un oncle ou un cousin qu'il a regardé faire. Pour certains, ce sont des grands chefs vus à la télévision ou sur Internet qui propagent ce bon virus. On pense à Raymond Oliver, le chef de cuisine des premières émissions de télévision, à Michel Guérard dont le génie culinaire a su associer nouvelle cuisine gourmande et minceur[1], à Yannick Alléno l'inventeur du terroir parisien, à Éric Reithler qui sait si bien adapter les secrets de la gastronomie aux plats industriels ou encore à Cyril Lignac imbattable pour initier le jeune public à la cuisine moderne. Sur France 3, Joël Robuchon cuisine pour sa fille Sophie et lui dévoile ses secrets devant la caméra. C'est en pensant à son jeune fils Nathan qu'Anne-Sophie Pic a ouvert à Valence une école de cuisine pour enfants, adolescents et adultes. « Je veux transmettre comme mon père l'a fait avec moi[2] », dit-elle. Elle poursuit la tradition familiale initiée par son grand-père et son père, tous deux chefs étoilés. Tous ces chefs influencent des générations de cuisiniers amateurs. La transmission culinaire est devenue protéiforme, elle emprunte des chemins divers, mais qu'importe, du moment qu'elle persiste.

---

1. Michel Guérard, *Minceur essentielle*, Albin Michel, 2012.
2. Dalila Kerchouche, « Cooking for Kids avec Anne-Sophie Pic », *Madame Figaro*, 24 août 2010.

Or elle persiste. Les écoles de cuisine pour amateurs bourgeonnent dans toutes les grandes villes. La transmission des recettes familiales de génération en génération n'est plus aussi évidente que du temps où les cahiers manuscrits passaient de main en main. Aujourd'hui, chacun prend des notes sur son ordinateur, se promène sur des sites de recettes ou des blogs culinaires[1] pour trouver la bonne recette. On fait comme on peut, comme on veut. L'essentiel, c'est que subsiste le lien familial très fort autour de l'activité culinaire. Et je reste convaincu qu'un jeune qui sait cuisiner a toutes les chances de se nourrir plus sainement qu'un autre.

Premiers pas vers « l'autonomie culinaire »

Apprendre à cuisiner peut commencer tout simplement à table, à l'heure des repas. Sans même se mettre aux fourneaux, l'enfant, pendant le petit-déjeuner, le déjeuner ou le dîner, se familiarisera avec un certain nombre de gestes, sorte de phase préparatoire, d'initiation à l'art culinaire. Le petit va s'habituer à sucrer son yaourt sans sucrer la nappe (cinq ans), à beurrer ses tartines (six ans), à retirer lui-même le gras qui borde sa tranche de jambon (six ans), à couper sa viande tout seul (sept ans), à se servir d'un plat sans en répandre la moitié à côté de l'assiette (sept ans), à verser une boisson correctement dans un verre (sept ans), à éplucher une poire ou décortiquer des crevettes (huit ans), à tourner ses spaghettis autour de sa fourchette (huit ans), à saler raisonnablement son plat (neuf ans), à préparer un artichaut de Bretagne, l'effeuiller, retirer le foin et en extraire le fond (dix

---

1. Jetez donc un œil au blog de Pascale Weeks : c'est moi qui l'ai fait (scally.typepad.com). Ça vaut le détour !

215

ans), etc. C'est en faisant qu'on apprend : étape par étape, il développera sa dextérité et son autonomie... à condition que ses parents l'encouragent à se débrouiller tout seul.

On a tendance – surtout à table – à faire les choses à leur place : ça va plus vite, on est sûr de ne rien renverser et puis le premier souci, le plus souvent, n'est pas que l'enfant coupe sa viande mais plutôt qu'il la mange. Au dessert, idem, on a suffisamment de mal à leur faire avaler une pêche, alors si en plus il faut exiger qu'ils l'épluchent... Résultat : on mâche le travail, on leur donne la becquée à un âge où naguère ils étaient capables de chasser le gibier !

Pourtant, quand les parents s'attachent à laisser les enfants agir, les progrès sont épatants. Il suffit de fixer des objectifs ensemble. Chaque anniversaire est l'occasion de franchir une étape. « Quand tu auras huit ans, tu couperas ta viande tout seul. » Pourquoi ? Ne cherchez pas une raison technique à vos propos. Vous pensez que c'est le bon âge et vous avez sans doute raison car, mieux que personne, vous connaissez votre enfant, savez de quoi il est capable. Peu à peu, l'enfant devient autonome. Et bientôt, l'adolescent sera capable de découper un poulet rôti ou un rosbif à la table familiale.

Au départ, on les pousse un peu, puis cela devient un motif de fierté de ne plus dépendre des adultes. Se développe alors une forme de respect pour le repas servi dont ils deviennent en partie responsables : décortiquer des crevettes, c'est une façon de participer à leur préparation. Tous ces gestes instaurent un contact sensuel avec la nourriture, l'enfant s'intéresse davantage à ce qu'il mange, le repas devient un moment de plaisir, une activité en soi et non plus seulement une obligation. Il n'est plus un individu passif que l'on force à manger.

Cuisiner en passant : l'air de rien, confiez des tâches culinaires à vos enfants

Savoir se débrouiller à table comme un grand, c'est le premier pas vers les fourneaux. Mais pour devenir un cordon-bleu, le mieux reste évidemment de cuisiner.

Il y a deux façons de faire la cuisine avec ses enfants. Il arrive que l'on prépare un repas et qu'un enfant désœuvré et souvent affamé passe par là. Il veut savoir à quelle heure on dîne, il a faim et il s'ennuie. En général, quand on lui donne une carotte à râper, qu'on lui confie le fouet pour tourner le roux blanc d'une béchamel sur le feu, il ne dit jamais non. C'est moins routinier que de lui demander de dresser la table, activité qui confine à la corvée. L'enfant met la main à la pâte. Les plus chanceux, ceux dont les parents sont de bons cuisiniers, apprennent à mitonner des petits plats à force d'observer. Ils s'assoient à la cuisine pour colorier à côté de leur mère, ils la voient du coin de l'œil façonner des boulettes de viande, ou monter une mayonnaise, ou émincer des légumes, faire dorer une viande, préparer une marinade en piochant dans les pots d'épices. Ils la voient mélanger la poudre brune du cumin, beige du gingembre, orange du curcuma, rouge du paprika, ils regardent comment on ficelle un bouquet garni. Ce sont des couleurs, des odeurs, des gestes dont l'enfant s'imprègne presque passivement. Ces gestes, il les reproduira naturellement une fois adulte, sans livre de recettes ni cours de cuisine, juste pour avoir vu faire devant lui.

L'autre façon de cuisiner avec sa progéniture consiste à créer un rendez-vous familial, une sorte d'atelier cuisine. En un mot, un loisir. On décide ensemble de faire un gâteau ou de cuisiner un plat. L'enfant est alors au centre. Pour peaufiner le décorum, on peut lui acheter un tablier (les enfants aiment les déguisements). On choisit une recette. Il existe des centaines de livres de cuisine pour enfants. On y trouve des plats qu'aiment les jeunes et les temps de préparation ne sont pas trop longs, ce qui évite de faire du « rendez-vous cuisine » un moment fastidieux qui tourne au vinaigre.

N'hésitez pas à confier aux enfants les tâches délicates. Si vous les laissez en dehors des manipulations techniques – comme séparer les jaunes des blancs d'œufs ou manier des ustensiles coupants –, ils se sentiront spectateurs. Aux plus petits, réservez les tâches les plus bruyantes, ils adorent ça ! Appuyer sur un hachoir électrique ou battre des blancs en neige sont des expériences plus amusantes pour eux que de râper des zestes de citron. Beurrer un moule à gâteau ou pétrir de la pâte à pleines mains sont des activités sans danger et fort sensuelles indiquées dès quatre ans. Soyez vigilants afin qu'ils ne se blessent pas mais ne les surprotégez pas pour autant. Il est urgent que vous leur transmettiez votre savoir-faire. Les années passent plus vite qu'on ne le croit.

L'école de la vie : transmettez vos valeurs avec vos plats

L'art culinaire véhicule des valeurs essentielles. Cuisiner est d'abord un acte généreux : on donne de son temps pour faire plaisir aux autres. On se met en danger. Cela peut être douloureux de servir un plat raté mais comme c'est valorisant quand le repas est réussi ! Le tout est de ne jamais se décourager. Et l'humour n'est pas interdit en cuisine !

Préparer un repas est affaire d'habileté et d'organisation. Il faut être méthodique, prévoir ingrédients et ustensiles avant de commencer. Procéder pas à pas afin d'éviter les moments de panique. Suivre humblement la recette et ne rien négliger, sans quoi le plat risque de rater : la cuisine est l'école de l'humilité. Se montrer patient. Savoir calculer, par exemple, pour adapter une recette. Une habile règle de trois permet de préparer un repas pour dix avec une recette pour quatre. Ça n'est pas simple de cuisiner. Rien de tel que l'épreuve du feu pour s'en rendre compte. En préparant des plats avec vous, votre enfant apprendra la patience, l'astuce, le sang-froid, l'audace (même en partant d'une recette, on peut se montrer créatif).

L'art d'accommoder les restes les habitue à ne pas gaspiller. Avec des fruits trop mûrs, du pain rassis, un reste de viande ou de poulet, on peut réaliser des plats raffinés : terrines, nems, feuilletés, boulettes, cakes, quiches, pains perdus, compotes, crumbles. Les sites Internet regorgent d'idées pour utiliser les restes. De temps en temps, il est bon aussi de vider son réfrigérateur pour faire un grand nettoyage. Vous réunirez alors les restes de purée, pâtes ou riz ainsi que les légumes et fines herbes achetés au marché cinq ou six jours plus tôt et qui n'ont pas été cuisinés. Mettez l'ensemble des ingrédients dans une casserole, faites cuire une heure avec un cube de bouillon et un litre d'eau. Vous obtiendrez une soupe « surprise » excellente pour un dîner léger[1]. Faire des économies d'une main et s'offrir de bons produits de l'autre, on s'y retrouve. La table est le lieu du luxe. Initiez vos enfants aux produits les plus exceptionnels de la gastronomie française, montrez aux adolescents comment marier plats et vins, vous en ferez des individus hautement civilisés !

Cuisiner nous apprend en outre à faire avec ce qu'on a. Si on est en rupture de stock de coulis de tomates,

---

1. La recette de la soupe surprise nous vient du site Gourmandines.fr.

on peut en préparer soi-même avec les cinq tomates qui traînent dans le tiroir à légumes du frigo. Si on n'a pas de gruyère râpé pour le gratin, remplaçons-le par du parmesan. C'est précisément dans ces occasions que l'expérience est précieuse. En cuisine plus qu'ailleurs, la compétence des aînés (parents, oncles et tantes, grands-parents) se trouve valorisée. Nous voilà les deux pieds dans le réel, aux antipodes des mondes virtuels proposés par les jeux vidéos. Les mains dans la farine, une légère odeur de brûlé qui s'échappe du four, le lait qui monte dans la casserole et s'étale sur la plaque de cuisson, des grumeaux dans la pâte, une sauce aqueuse : on ne se sort pas de ces situations en actionnant un joystick. Il ne suffit pas d'appuyer sur le bouton « start », « carré », « rond », ou « triangle », il faut de la ressource et de l'expérience ! La transmission prend alors tout son sens.

Je maintiens qu'on ne retient rien aussi bien que ce qui est transmis par nos parents. Il y a là une dimension affective n'existant pas dans les cours de cuisine payants. Une notion de don. Les parents offrent aux enfants un patrimoine de valeur. Et puisque la cuisine est une activité quotidienne à laquelle on ne peut se soustraire (il faut bien nourrir sa famille !), profitons-en pour passer le relais, transmettre nos secrets, nos compétences. Il y va de la santé des générations futures. Et au-delà des vertus nutritives, cuisiner avec les siens, c'est inculquer des valeurs morales essentielles, dans un contexte somme toute plutôt joyeux, et au service de la plus coupable et la plus délicieuse des causes : la gourmandise.

Après l'été, vient l'automne :
donnez-leur le goût des saisons

Cuisiner avec les enfants, c'est aussi les sensibiliser aux produits de saison. Vous ferez des économies : les aliments sont moins chers quand on les achète à la bonne période. Le plaisir de l'hiver, c'est un vacherin coulant, des huîtres, des coquilles Saint-Jacques, des citrons et pamplemousses juteux. Pensez aux petits pois frais, artichauts poivrade, asperges et morilles au printemps mais aussi à l'agneau de lait du mois d'avril. Faites le plein de fruits l'été : fraises, pêches, nectarines, framboises. Cuisinez aussi des girolles et des cèpes. Les poissons bleus comme le maquereau et la sardine foisonnent alors sur nos côtes ; ils sont pleins d'oméga 3. Profitez-en ! Le reblochon est magnifique à la sortie de l'été. L'automne est la saison des figues, des noix, du raisin, des poires et pommes. Juste avant d'entrer dans l'hiver, les enfants mangent des kilos de clémentines. C'est aussi le moment de préparer soupes et crèmes de marrons. Affichez la liste des fruits et légumes de saison sur votre réfrigérateur, vous verrez c'est très pratique avant de faire vos courses.

La cuisine de chez soi : richesses régionales

C'est évidemment dans la confection des plats que l'identité alimentaire se transmet de la façon la plus marquée. Régulièrement, les études sur les comportements alimentaires viennent nous rappeler qu'en France, les particularités régionales sont fortement ancrées. À chaque région son modèle. On le remarque notamment dans l'utilisation des matières grasses. La carte de France se divise en deux : au Nord le beurre, au Sud l'huile. Malgré l'évolution des modes de conservation, malgré le développement des transports et la mondialisation, le répertoire alimentaire continue de s'accorder avec les productions locales. Les habitants du Nord consomment davantage de pommes de terre et d'aliments sucrés, ceux du Sud davantage de légumes[1].

Néanmoins, d'une génération sur l'autre, les recettes s'adaptent. On pourrait presque dessiner un arbre généalogique avec, à chaque branche, une recette différente du même plat. L'évolution des goûts, des arts de la table, des techniques culinaires, de la présentation des produits, de même que les migrations, engendrent des adaptations.

Une de mes patientes m'a raconté un jour comment elle a compris d'où venaient les recettes de sa mère. Sa mère était une excellente cuisinière, née en Turquie au sein d'une communauté juive. Elle avait donc appris les recettes de cuisine séfarades propres à la Turquie c'est-à-dire, en réalité, la cuisine juive espagnole. Émigrée en France, elle avait épousé un Français catholique du Sud-Ouest et avait rapidement adapté ses recettes au goût de son mari et sa table était très réputée auprès de ses amis. Cuisinant à l'instinct, elle n'avait jamais enseigné la cuisine à sa fille qui, lancée dans de brillantes études supérieures, passait, à la grande fierté de sa mère, plus de temps à sa table de travail que devant les fourneaux.

Devenue adulte et elle-même mère, en plus d'être une professionnelle reconnue, ma patiente est un jour tombée sur un livre de cuisine juive espagnole. En le compulsant, elle s'est aperçue que, toute sa vie, c'est cette gastronomie qu'elle avait mangée, adaptée au goût français de son père. Il y avait notamment ce plat « emblématique », une tourte épinards-fromage, que sa mère servait à la turque, avec des œufs durs et en buvant du lait. Seulement, à la

1. Étude INCA 2 (étude individuelle nationale des consommations alimentaires 2 / 2006-2007).

place du fromage de brebis, elle utilisait du saint-marcellin, et à la place du fromage turc nommé kachkaval, du gruyère, façon d'apporter une touche française à ce mets et de l'adapter au désir de son époux. Ses belles-filles, voulant faire plaisir à leurs maris, ont, elles, eu l'idée de simplifier la recette en se servant de pâte feuilletée surgelée et d'épinards surgelés, ce qui raccourcissait considérablement le temps de préparation. Ainsi, elles pouvaient préparer la tourte d'enfance en version simplifiée, recette qui reçut la bénédiction de leur belle-mère.

Par-delà ses adaptations, la tourte épinards-fromage, recette juive espagnole, d'abord enracinée en Turquie puis importée en France et adaptée aux produits du terroir ainsi qu'aux technologies modernes, a bel et bien été transmise. La recette subsiste et ma patiente, lorsqu'elle déjeune chez ses fils (troisième génération dans cette histoire) aujourd'hui mariés et pères de plusieurs enfants, ne vient jamais les mains vides et, pour leur faire plaisir, apporte le plat préféré, le plat que faisait leur grand-mère : une tourte épinards-saint-marcellin... qu'ils peuvent même congeler.

Les recettes évoluent donc au sein des familles, dans le secret et l'intimité. C'est un patrimoine privé. Les grands chefs, eux, rendent publiques leurs trouvailles et nous permettent de suivre les métamorphoses des recettes les plus classiques du répertoire français. Prenons le cassoulet, spécialité régionale du Languedoc : grosso modo, il s'agit d'un ragoût à base de haricots blancs et de viande. Selon les versions, on y ajoute du confit d'oie ou de canard, du lard, de la couenne, du jarret de porc, de la saucisse, de l'agneau ou de la perdrix, et au choix tomates, céleri, carottes. Il existe autant de cassoulets que de cuisiniers. Temps de cuisson, ingrédients, nature des viandes et présentation varient. Les querelles régionales sont vivaces ; on vous expliquera que le cassoulet de Castelnaudary n'a rien à voir avec celui de Toulouse, de Carcassonne ou de Montauban. Engagez la discussion sur ce sujet et tout le Sud-Ouest s'embrase.

Les cassoulets les plus traditionnels comportent les produits du cru, haricots lingots de la plaine ariégeoise, volailles grasses de la Piège. Le cassoulet moderne, plus léger, s'envisage avec de la saucisse de poulet fermier grillée, moins calorique que la saucisse de Toulouse, à base de viande de porc. Le chef toulousain Mohamed Bachir a même inventé le cassoulet « nouvelle cuisine », consommé en entrée : tartare de haricots blancs, gelée de vinaigre de vin, petites billes de pain frites et tranche de foie gras, le tout recouvert d'un velouté de lard chaud et servi dans un verre à cocktail.

Qu'est-ce alors qu'une vraie bouillabaisse, une authentique choucroute, le cassoulet du puriste ? Débats interminables... S'agissant du cassoulet, Jean-Claude Rodriguez, restaurateur à Carcassonne, tranche : « Ce plat change de goût selon les lieux, les saisons, la maturité des haricots, les viandes et l'amour qu'on y met. D'ailleurs, pour chacun d'entre nous, le meilleur n'est-il pas celui de notre enfance, celui que cuisinait notre mère[1] ? » Les souvenirs d'enfance sont indélébiles.

La transmission culinaire n'apporte pas immédiatement de résultats visibles. On ne peut pas juger de ses effets au jour le jour. Elle opère par imprégnation, tout doucement, elle « décante » et s'exprime plus tard, une fois l'enfant devenu adulte et éventuellement lui-même parent. Au moment où il veut à son tour transmettre sa part de l'héritage familial. Une transmission réussie s'évalue au fumet d'une poule au pot ou d'un bœuf-carottes qui parfume l'atmosphère d'une maison à l'heure du dîner. Elle est rassurante, cette idée que passent, de

---

1. Olivier Le Naire, « La Liturgie du cassoulet », L'Express.fr, 2 août 2007.

génération en génération, les recettes, les comportements alimentaires, le goût pour les bons produits du
terroir, les astuces culinaires, les habitudes de consommation, c'est-à-dire la culture gastronomique. Quand ces
choses-là se perdent, on oublie les principes élémentaires
de nutrition. Et la santé dégringole.

LE SAVIEZ-VOUS ?

1 : Un mercredi après-midi à la quincaillerie ? Allez-y !

Les enfants adorent les collections. Initiez-les au monde de la quincaillerie. On y trouve les objets les plus fous, de toutes les couleurs, de toutes les formes et dans toutes les matières. Y a-t-il plus beau qu'une batterie de casseroles en inox qui s'emboîtent comme des poupées russes ? Une quincaillerie comporte des milliers de références, un ustensile pour chaque tâche. On peut passer des heures dans les rayons à découvrir des outils dont on ne connaissait même pas l'existence, dont on ne ressentait nul besoin et dont bientôt on ne pourra plus se passer.

Le vocabulaire des ustensiles est d'une poésie inouïe. Sauteuses, braisières, cocottes, marguerites (pour la cuisson vapeur), mandoline, pince à steak, pique-bigorneau, moule à ravioli, chinois, spatule de glaçage, découpoir, moulin à légumes ou curette à homard. Les enfants sont fascinés par les équipements, alors ne soyez pas trop regardants à la dépense. Faites-vous plaisir en même temps que vous les familiarisez avec les techniques culinaires. Comme pour le bricolage, savoir cuisiner c'est aussi connaître les bons outils.

Tous les chefs s'accordent à dire que l'ustensile roi, dans une cuisine, c'est un bon couteau. Quels couteaux choisir ? Qui veut se montrer rapide et efficace en cuisine peut s'offrir trois à quatre couteaux parmi les suivants.

– Le couteau d'office : il est petit et facile à manipuler. C'est une sorte de couteau à tout faire, pratique à la fois pour peler à vif un citron, retirer le pédoncule d'une tomate, escaloper des champignons de Paris, tailler finement une gousse d'ail. Bref, un incontournable.

– L'éminceur ou couteau de chef : sa lame est plus ou moins longue mais rigide. On l'emploie pour émincer des légumes, il peut aussi servir dans les phases de préparation de volailles ou de poissons.

– Le désosseur : sa lame courte et très rigide est pratique pour désosser des pièces de boucherie. Idéal pour désosser une épaule d'agneau, découper à cru un lapin ou une volaille, on peut aussi s'en servir pour préparer des légumes très durs (il est indiqué pour tourner les artichauts).

– L'économe pèle tous les légumes et taille de magnifiques copeaux dans les fromages à pâte dure (parmesan, mimolette vieille).

– Le couteau à filet : sa lame fine, longue et flexible sert à lever les filets des poissons. On l'appréciera aussi pour tailler des aubergines en fines tranches ou lever les segments d'un agrume.

– Le couteau à pain : il est dentelé et parfait pour trancher le pain ou couper en deux les agrumes à peau épaisse.

2 : Quoi de plus sympa qu'un œuf ? Proposez-le !

L'œuf est un excellent aliment : il représente la meilleure source protéique que nous offre le monde animal. On trouve des protéines à la fois dans le blanc et dans le jaune avec tous les acides aminés indispensables et dans des proportions optimales.

Cholestérol et lipides (c'est-à-dire les graisses) sont concentrés dans le jaune. Le blanc n'en contient pas. Le jaune d'œuf est riche en cholestérol et c'est tant mieux car, contrairement à certains adultes qui doivent surveiller leur consommation de cholestérol, les enfants, eux, en ont besoin. Ils sont en pleine croissance et celui-ci est très utile à la production de nombreuses substances dans l'organisme et notamment de certaines hormones.

Le jaune contient également la plupart des vitamines du groupe B, la totalité des vitamines A ainsi que du carotène et des vitamines D.

En pratique, deux œufs peuvent remplacer 100 g de viande rouge, de volaille ou de poisson. Or, les œufs, ce n'est pas cher, alors pourquoi s'en priver ? N'hésitez pas à en servir à vos enfants plusieurs fois par semaine.

Il existe mille façons de les accommoder. Je vous en propose quelques-unes pour leur originalité, leur valeur nutritive et leur simplicité de réalisation. Lancez-vous !

1. Les œufs au nid

C'est une recette facile. Temps de préparation : 45 minutes. Ingrédients pour quatre personnes : 8 œufs, 1 kg de pommes de terre, 40 g de beurre ou de margarine, deux verres de lait, deux cuillerées à soupe de chapelure, du sel et du poivre.

Faites bouillir les pommes de terre dans l'eau salée entre 25 et 30 minutes. Égouttez-les, écrasez-les et incorporez peu à peu une noix de beurre ou de margarine et le lait bouillant en battant énergiquement avec une cuillère en bois. Et si vous n'avez pas le temps, utilisez de la purée Mousseline !

Allumez le bas du four. Vous aurez préalablement beurré un plat en verre. Étalez la purée de pommes de terre. Puis formez huit cavités à l'aide d'une cuillère à soupe. Enfournez le plat à four chaud, thermostat 6 ou 7, pendant quelques minutes afin que la purée soit très chaude au moment où vous y déposerez les œufs. Retirez le plat du four, demandez à un enfant de casser un œuf dans chaque creux, parsemez la purée de chapelure, poivrez et salez très peu. Remettez votre plat dans le four à thermostat 8 ou 9 jusqu'à ce que les blancs soient bien pris (comptez 6 à 8 minutes).

2. Les œufs au lait

Cette recette réunit deux aliments fondamentaux pour l'enfant : les œufs et le lait. Les protéines du lait sont bien équilibrées en acides aminés dont il a besoin. Le lait est riche en calcium et contient du phosphore en grande quantité, des vitamines du groupe B et notamment de la vitamine B2.

Temps de préparation : 30 minutes. Vous devez laisser reposer au frais entre deux et trois heures. Aussi, préparez la veille pour le lendemain.

Pour quatre personnes, il vous faudra 3 œufs, ½ litre de lait (demi-écrémé de préférence), cinq cuillères à soupe de sucre, un sachet de sucre vanillé et une pincée de sel.

Faites bouillir le lait avec le sucre et une pincée de sel. Allumez le bas du four. Battez les œufs en omelette dans un saladier ou, mieux, demandez à l'un de vos enfants de le faire. Incorporez dans ce saladier le lait bouillant, petit à petit, sans cesser de battre avec un fouet. Versez ensuite dans un plat en verre. Déposez-le sur la plaque creuse du four contenant un peu d'eau. Faites cuire à four chaud, thermostat 6 ou 7 pendant 20 minutes. Ne laissez surtout pas bouillir. Retirez du four. Laissez refroidir. Puis conservez le plat au réfrigérateur.

3. Les œufs brouillés ou en omelette

Dans la mesure où vous pouvez leur associer des champignons et toutes sortes de légumes (sources de fibres), du fromage (source de calcium), des fines herbes (source de vitamine C) ou même des foies de volaille (source de fer et de vitamine D), les œufs brouillés et les omelettes constituent un plat complet et très sain. Là encore, casser les œufs sera un grand plaisir pour les enfants.

4. Les œufs perdus

Ingrédients : 6 à 8 œufs, un verre de crème fraîche et une pincée de sel.

Prenez un plat en verre. Cassez les œufs en séparant le jaune du blanc, mettez les jaunes dans le plat en laissant un espace entre chacun. Entourez-les de crème fraîche, une petite cuillère autour de chaque œuf, puis mettez un tout petit peu de sel. Battez les blancs et disposez-les autour des œufs. Mettez le plat à four moyen (thermostat 5). Cuisson : 10 minutes.

3 : Quelques astuces
à voler

Tout le monde n'a pas un aïeul cordon-bleu. Il n'y a pas toujours un savoir-faire familial, un tourne-main extraordinaire qui passe de père en fille ou de mère en fils. Rien n'empêche, même si l'on n'a pas soi-même reçu de bons tuyaux de ses parents, d'en transmettre à ses enfants. Prenez les astuces des autres, il y en a plein les bouquins, elles constituent le b.a.-ba de l'art culinaire.

Voici quelques « tips » utiles, piochés ici et là :

– Lorsque vous cuisinez du chou-fleur ou du broccoli, ne coupez pas la queue trop court : elle est très riche en vitamines.

– Vous avez cuisiné, vos doigts sentent farouchement l'ail. Frottez vos mains humides sur le manche d'un couteau en inox et il n'y paraîtra plus rien.

– Pour éviter de pleurer en coupant un oignon, placez-le dix minutes au congélateur avant de le peler.

– Pour obtenir la même saveur dans un plat, il faut utiliser un volume d'herbes séchées trois fois moins important que d'herbes fraîches. Écrasez les herbes séchées dans la paume de votre main pour en libérer la saveur.

– Pour couper des œufs durs sans que le jaune s'effrite, utilisez un couteau mouillé.

– Épices. Pour libérer la saveur du safran, il faut d'abord le faire tremper. Placez-en quelques brins dans un peu d'eau chaude pendant une dizaine de minutes. La poudre de curry apporte une saveur plus marquée lorsqu'on la chauffe cinq minutes au four avant de l'ajouter au plat.

– N'ajoutez jamais de crème fraîche légère dans un plat trop chaud sans quoi la crème risque de tourner. Laissez un peu refroidir le plat avant d'ajouter la crème.

– Il est plus facile de réussir une mayonnaise avec des ingrédients à température ambiante.

– Avant de faire cuire des œufs durs ou mollets, percez le cul de l'œuf avec la pointe d'un couteau. Cela évite que la coquille ne se fende quand l'eau bout et ils seront plus faciles à éplucher.

Rattraper un faux pas :

– Si votre béchamel est remplie de grumeaux, versez-la dans une passoire très fine et fouettez-la énergiquement avec un fouet ballon pour la faire passer à travers les mailles puis remettez-la sur le feu pour la réchauffer.

– Une sauce aqueuse s'améliore facilement. Délayez une cuillère à soupe de fécule de maïs (Maïzena) dans une tasse d'eau et versez l'émulsion dans votre sauce qui va ainsi épaissir.

– Une viande qui a trop cuit constitue une excellente base pour un chili con carne.

– Vous avez mis trop d'ail : faites mijoter un peu de persil pendant dix minutes dans le plat trop aillé.

– Trop de sel ? Selon la nature du plat, ajoutez un pot de yaourt ou une brique de coulis de tomates.

– Trop de vinaigre ? Ajoutez une pincée de bicarbonate et le tour est joué.

– Vous avez des bananes trop mûres ? Écrasez-les et conservez-les au congélateur pour faire un sorbet ou un cake.

QUE FAIRE, DOCTEUR ?

CAS N° 1 : Des plats interdits ?
Dois-je jouer le censeur culinaire ?

Mon mari est originaire d'Alsace. C'est sa culture culinaire. Il est un excellent cuisinier, seulement la note calorique de ses repas est vertigineuse. Baeckeoffe, foie gras truffé maison, choucroute, kugelhof, tourtes à l'alsacienne et bretzels... les menus qu'il prépare ne sont pas du meilleur effet sur la ligne de nos enfants de dix et douze ans qui ont tous les deux tendance à l'embonpoint. Du coup, je le freine dans ses velléités de cuisiner. Mais je le regrette car mes enfants apprennent à cuisiner avec lui et semblent y prendre du plaisir.

Mes suggestions :
Médecin nutritionniste, je reçois de nombreux enfants dont je surveille le poids avec beaucoup d'attention. Pourtant, je crois dur comme fer qu'il ne faut en aucun cas dissuader votre mari de cuisiner et d'enseigner ses recettes. C'est une chance extraordinaire qui leur est offerte. Même si vos enfants sont ronds, pourquoi ne dégusteraient-ils pas, de temps en temps, de bons plats paternels alsaciens ? Ils apprennent ainsi à manger des repas complets et préservent une tradition familiale précieuse. Appliquez votre vigilance à d'autres domaines : réduisez leur consommation de bonbons, supprimez les fast-foods et le grignotage. Du reste, je gage qu'après une choucroute, ils n'ont plus faim entre les repas !
J'insiste sur le fait de préserver la notion de plaisir dans la relation avec la nourriture. C'est crucial

et je vous assure que cela donne de très bons résultats sur le plan nutritionnel. Un enfant qui mange par plaisir des plats de son patrimoine culturel développe moins souvent des comportements compulsifs envers la nourriture que celui qui s'adonne tôt à la *junk-food*. Le tout est une question d'équilibre général. Il ne faut pas se cantonner à des calculs de calories. Bien se nourrir est un ensemble.

Et puis, une maison où l'on cuisine est souvent plus chaleureuse et plus gaie.

CAS N° 2 : Une bonne odeur de gratin...

Ma fille développe des aversions pour certains plats dont elle ne supporte pas l'odeur. Sur sa liste rouge figurent en tête le fromage grillé des gratins et le chou-fleur. Le simple fait de sentir ces odeurs la braque. Et, à partir de là, il n'y a pas moyen de lui faire goûter à quoi que ce soit. De là à me dissuader de cuisiner, il n'y a qu'un pas. C'est décourageant !

Mes suggestions :
En matière de nutrition, ma stratégie préférée est invariable : contourner la difficulté ! Évitez d'aller à la confrontation sur ce terrain-là.

N'oubliez pas que le goût n'est pas un sens isolé. Il est très lié à l'odorat et à la vue. Alors si l'odorat de votre fille est particulièrement développé, oubliez peut-être choux-fleurs et choux de Bruxelles dont l'odeur l'écœure. Il y a tant d'autres aliments dont la préparation parfume agréablement une maison. L'aubergine au four diffuse une odeur sucrée magnifique, vous pouvez aussi tester les poivrons grillés. N'hésitez pas à faire cuire des gâteaux. Un gâteau au chocolat emplit la maison d'un arôme exquis.

C'est intéressant de toujours s'interroger sur les sens impliqués dans la perception d'une saveur. Parlez-en avec votre fille. Prévoyez peut-être d'établir des menus avec elle (le fait de l'associer évitera de la braquer). Montrez-lui combien la vue influence le goût. Un mets bien présenté paraîtra meilleur. Proposez-lui de préparer des repas originaux et, si c'est une artiste, pourquoi pas monochromes, exercice amusant. Un repas rose-orangé : melon en entrée, saumon, crevettes et tarama accompagnés de carottes Vichy en plat, salade d'oranges à la cannelle en dessert. Un repas blanc : céleri rémoulade en entrée, soles meunières et purée de pommes de terre en plat, meringues en dessert. Un repas vert : salade romaine en entrée, tagliatelles vertes au pistou accompagnées de petits pois au beurre, salade de kiwis arrosée de canadou au dessert. Il ne faut pas que la cuisine devienne hostile pour votre fille. Au contraire, essayez de rendre cette activité séduisante, quitte à oublier les gratins... pendant un temps.

CAS N° 3 : Quel livre transmettre ?

J'ai toujours pensé qu'un homme sachant cuisiner était plus séduisant qu'un autre. Il me semble indispensable d'être capable de préparer un bon dîner pour une femme, pour sa femme. Je n'ai pas, comme avaient nos aïeux, un cahier de cuisine rempli de recettes magnifiques. Néanmoins, je me suis attaché à transmettre à mon fils quelques rudiments. Aujourd'hui, il s'apprête à quitter la maison pour habiter seul. J'aimerais lui offrir un bon livre de cuisine mais on est perdu devant tant de choix.

Mes suggestions :

Un jeune qui s'installe a besoin d'un livre de référence. J'en connais deux excellents. *Recettes faciles*[1] de Françoise Bernard : ce grand classique de cuisine française a déjà mis en selle trois ou quatre générations de cuisiniers dans les familles. Il fait partie de ces ouvrages best-sellers qui ont traversé le temps. J'aime beaucoup aussi *Le Livre de cuisine*[2] d'Andrée Zana-Murat qui présente des recettes simples et délicieuses : ce livre-là est plus ouvert sur les cuisines étrangères et plein d'inventions.

Cela fait partie de la transmission que de conseiller les bons livres de cuisine. Il est important, selon moi, que les parents offrent également, en plus d'un livre généraliste de référence, un ouvrage de recettes de la région dont ils sont issus : cuisine italienne, alsacienne, juive, chinoise ou méditerranéenne. Essayez également d'écrire vos propres recettes qu'ils aiment tant. Ce sera pour eux une sorte de « bréviaire identitaire ».

1. Françoise Bernard, *Recettes faciles*, Hachette Pratique, 2008.
2. Andrée Zana-Murat, *Le Livre de cuisine*, Albin Michel, 2004.

Épilogue

À la table familiale, et nulle part ailleurs !

Quelles que soient vos origines, vos habitudes alimentaires, vos goûts, vos compétences culinaires, l'exemple viendra de vous ! Apprendre aux enfants comment bien se nourrir, cette mission revient aux parents, et à personne d'autre. Ce sont eux qui transmettent les bons réflexes, les préceptes nutritionnels, les rythmes, les usages. Toute forme de démission dans ce domaine est une folie. L'art de la bonne chère ne s'acquiert ni dans une sandwicherie, ni en regardant la télévision, ni à l'école, ni même chez le médecin nutritionniste, mais autour d'une table en compagnie de gens qu'on aime.

La transmission, autrefois, était une affaire entendue ; cela allait de soi, les enfants tenaient leur culture alimentaire de leurs parents, on empruntait tout naturellement un chemin qui ressemblait de près ou de loin à celui tracé par la génération précédente. Aujourd'hui, l'affaire se complique[1]. On s'inquiète, on a le sentiment de mal faire, de ne plus y arriver. On voit même apparaître des « coachs familiaux » d'inspiration anglo-saxone,

---

1. Signalons les travaux diligentés par la fondation Nestlé France sur la transmission nutritionnelle. Voir le site : http://fondation.nestle.fr.

nouveaux venus dans l'Hexagone, qui proposent d'aider les parents à éduquer leurs enfants.

Que s'est-il passé ? Depuis trois décennies, l'impératif de transmission, associé à l'idée d'autorité, s'est trouvé dévalorisé. Le terme est devenu démodé. D'autre part, la donne alimentaire a radicalement changé. Dans leurs choix, les enfants s'extraient de plus en plus jeunes du cocon familial, la *street-food* a envahi leur mode de vie. Les sandwicheries, qui n'existaient pas quand j'étais enfant, ont fleuri à toute vitesse, on en trouve à tous les coins de rue. Télévision et Internet dictent nos menus, les produits affluent du monde entier. L'éventail des aliments proposés dans les grandes surfaces s'est considérablement élargi : c'est à la fois réjouissant et perturbant. Le fil identitaire nous reliant à la culture de nos parents, à un terroir, à une région, au répertoire alimentaire des ancêtres n'est plus si facile à retrouver dans l'écheveau des propositions qui nous sont faites.

Ainsi donc, le mode de transmission du patrimoine gustatif n'est plus le même. Il demande un peu d'attention, que l'on s'y arrête un instant. C'est tout le propos de ce livre dans lequel j'ai souhaité réaffirmer haut et fort le rôle primordial des parents.

L'éducation nutritionnelle repose sur la découverte d'un univers fabuleux : la gastronomie. Jusqu'à sa majorité et même au-delà, repas après repas, l'enfant apprend à se régaler. Au contact de ses parents, il se familiarise avec une culture culinaire qui va devenir la sienne. Ce n'est pas un savoir figé qui lui est transmis. Le savoir-faire culinaire est poreux, il s'enrichit à un rythme aléatoire, au gré des occasions, des rencontres. Les découvertes se font sans plan préétabli. Il n'y a pas de méthode, juste une volonté. Et c'est tout le charme de cette initiation.

Sans désir, rien ne se passe. Notre contribution, c'est d'avoir envie de transmettre. Cela peut paraître peu. C'est essentiel ! À partir de là, les choses vont comme elles vont et nous échappent un peu. Car la transmission implique des individus nécessairement changeants, elle est tributaire des états d'âme des uns et des autres, de celui qui lègue comme de celui qui reçoit. Les voies de cet apprentissage sont tout en délicatesse. Elles varient selon les relations qui lient l'enfant et ses parents, les parents entre eux, les frères et sœurs. Nous voilà les deux mains dans la pâte humaine. Combien de fois un malaise psychologique au sein d'une famille s'exprime-t-il dans le comportement alimentaire d'un enfant ? J'ai vu des réactions étonnantes et tellement inattendues ! Une enfant qui, du jour au lendemain, restreint le champ de son alimentation à deux aliments, pommes de terre, fromage, parce que quelque chose ne va pas. Un autre qui, parce que sa vie à l'école s'améliore, s'épanouit d'un coup, s'ouvre à toutes les propositions qui lui sont faites et rattrape plusieurs années de refus obstinés.

La dimension affective est capitale. On comprend pourquoi le coaching (dispensé par une personne extérieure à la famille) n'a pas sa place en matière de transmission nutritionnelle. Ce n'est pas un acte commercial, c'est une démarche éminemment personnelle, relative à la sphère privée. Un projet qui demande du temps, de la patience, de la présence. La transmission se fait par imprégnation, elle opère à force d'écouter, de regarder, de sentir, de goûter. C'est une tâche ingrate dont on ne mesure pas immédiatement les résultats et qui ne s'accommode d'aucun critère de rentabilité. Elle emprunte des chemins mystérieux, est un dialogue permanent entre les propositions faites par les parents et l'évolution de la maturité gustative de l'enfant.

Développer le goût d'un enfant est aussi important que de l'ouvrir aux mondes de la peinture ou de la musique. Oserais-je suggérer que c'est plus important encore car il y va de la santé ? Il nous faut lui apprendre comment manger ce qui est bon pour lui, autrement dit s'assurer de la « densité énergétique et nutritionnelle » de ses repas. La densité énergétique est la quantité d'énergie par gramme d'aliment consommé : les fameuses calories. La densité nutritionnelle se rapporte à la quantité de nutriments et micronutriments (vitamines, minéraux, oligo-éléments) contenue dans 100 kcal d'aliments. Mais, confidence pour confidence, nul besoin de lire à la loupe la composition des aliments ni de vous lancer dans des calculs interminables, il n'y a qu'une seule recette qui vaille et elle est simple : elle consiste à manger des repas complets. Un repas complet – entrée, plat de résistance, laitage, dessert – apporte à coup sûr la variété nécessaire en nutriments et garantit un bon apport énergétique. Je ne peux pas dire mieux !

Ce conseil sonne comme une évidence et pourtant je ne me lasse pas de le répéter dans mon cabinet de consultation. Lorsque j'interroge mes patients à l'occasion d'un premier rendez-vous, je m'aperçois souvent que la majorité d'entre eux escamotent une partie du menu. Pas de laitage, pas de fruit, pas d'entrée... Or, toute contraction alimentaire déclenche un grignotage un peu plus tard, lequel grignotage n'est pas sans conséquence sur la composition du repas suivant. On a moins faim, on fait un repas plus léger, on n'est pas rassasié et... on grignote un peu plus tard. C'est un cercle vicieux. D'autant que les aliments consommés sur le pouce lors d'un petit creux sont en général pauvres en vitamines et en minéraux mais riches en graisses et en sucre.

Nous vivons à l'ère du *snacking*. Cette vogue, qui s'apparente à un comportement compulsif, s'inscrit en contradiction avec une alimentation saine. Le *snacking* brouille les repères nutritionnels. L'alimentation se trouve déstructurée et dispersée tout au long de la journée et les besoins nutritionnels de l'enfant ne sont pas satisfaits. C'est en instituant des repas familiaux que votre enfant s'habituera aux menus complets. Le pli sera pris. Je vous parle ici d'une culture alimentaire qu'il est de notre responsabilité de préserver et d'inculquer. Les pays anglo-saxons ont laissé filer cette culture et dans ces régions, l'obésité gagne du terrain.

La transmission nutritionnelle familiale ne coûte pas cher, est agréable (partager un gueuleton, on a vu pire châtiment !), ne prend pas beaucoup de temps (grosso modo, l'affaire se joue à l'heure des repas) et dépasse de beaucoup le périmètre de l'assiette : sont en jeu les relations familiales et l'éducation au sens large. Alors, ne renonçons pas !

Mais voilà que l'État se mêle de nos menus. Le Programme National Nutrition Santé (PNNS) a été conçu pour améliorer la qualité de l'alimentation. En rappelant à chacun quelques principes nutritionnels essentiels, le PNNS veut agir sur la santé publique et diminuer notre exposition à des maladies telles que cancers, maladies cardio-vasculaires, ostéoporose, diabète, surpoids et obésité. Apprendre aux Français et en première ligne, aux enfants, comment mieux se nourrir, voilà l'idée.

« Cinq fruits et légumes par jour », « Les féculents, un plaisir à chaque repas », « Trois produits laitiers par jour » : tout le monde aura entendu les conseils prodigués. Remettons les choses en perspective. Pour sensibiliser une population de plusieurs dizaines de millions d'individus, on est bien forcé de recourir à des messages simples, proches du slogan. Ne confondons donc pas sensibilisation et éducation. En aucun cas ces campagnes ne peuvent se substituer à la transmission familiale et dispenser les parents de cette responsabilité majeure.

J'ajouterai qu'il est forcément réducteur de ramener l'alimentation à quelques chiffres. Bien manger, c'est aussi passer un bon moment à table. La consommation d'un aliment s'attache à un contexte, à des souvenirs, à une personne en particulier. C'est de l'histoire familiale qu'il retourne, dans le processus de création d'habitudes alimentaires, en aucun cas de directives ministérielles.

Les messages généraux de santé publique doivent être écoutés d'une oreille et surtout ne pas perturber les équilibres patiemment trouvés chez soi, maison par maison, enfant par enfant. Chaque cas est unique. Il n'existe pas de remède universel. Avant de donner le moindre conseil à un patient, je l'interroge longuement. La science de la nutrition a fait des progrès considérables. Nous savons aujourd'hui comment bien manger mais le souci d'appliquer les connaissances médicales ne doit jamais vous empêcher de garder la main sur votre identité.

Le processus de transmission nutritionnelle est, comme nous l'avons vu, complexe. Il implique de trouver la bonne distance entre parents et enfants afin de préserver l'harmonie familiale. Ça n'est pas simple. Les parents doivent léguer un patrimoine tout en laissant à l'enfant l'espace nécessaire à la construction d'une identité alimentaire propre. Manger est un acte social important à l'occasion duquel s'exprime la personnalité de chacun. L'intérêt que doivent porter les parents à l'alimentation de leurs enfants est crucial mais il faut trouver le moyen de laisser émerger la personnalité des uns et des autres. Ce sont des nuances, des va-et-vient. Un individu, tout au long de son existence, entre le moment où il apprend à manger tout seul et le moment où il devient lui-même parent, va faire des allers-retours vers l'alimentation familiale. Il aura besoin de périodes de plus grande liberté, pendant lesquelles il ira « picorer ailleurs ». Puis subitement, il sera demandeur d'un retour aux sources. Le rôle des parents consiste à transmettre l'héritage familial de façon à ce que l'enfant puisse se positionner à sa guise par rapport à ce patrimoine.

L'enfant par ailleurs est soumis à des influences multiples, de par ses liens d'amitié, ses voyages ou encore le temps passé à l'école. Si le cœur de l'apprentissage se situe à la maison, ce noyau de culture alimentaire acquis en famille s'enrichit d'expériences extérieures. Là encore, je suis convaincu que la semaine du Goût, à l'école, doit être considérée par les parents comme un agréable divertissement et non comme un outil de développement du goût des enfants qui les dispenserait de leur rôle de transmission. Lorsque j'entends dire que ces opérations visent à développer « l'apprentissage du goût » et même à « promouvoir des comportements alimentaires » chez l'enfant, je souris. Ces choses-là ne s'acquièrent pas en une semaine. Les initiatives gastronomiques en milieu scolaire sont anecdotiques comparées au travail de fourmi réalisé quotidiennement par les parents désireux d'enseigner ce qu'est une saine alimentation.

Les entreprises de restauration scolaire font, elles aussi, des efforts. Elles invitent vos enfants à parcourir « L'Europe des saveurs ». Si vous lisez les menus de la cantine, vous verrez par exemple qu'au mois de novembre, l'entreprise a offert un petit voyage gustatif à votre gamin. L'Europe des saveurs se déclinait alors autour du paprika et de la gastronomie hongroise... « choux-fleurs sauce béchamel au paprika », « colin en papillote à la carotte ». Votre enfant aura également été, par voie de prospectus, encouragé à découvrir la France des saveurs. « Ce mois-ci, nous t'invitons à ·découvrir les secrets de l'emmental ! Garde précieusement cette plaquette pour devenir un dégustateur averti. » Tous les parents ont trouvé ce genre de prospectus dans le cartable de leur enfant.

Dont acte. Pourquoi pas ? Loin de moi l'idée d'ironiser sur ces efforts. Je veux seulement rappeler que la dimension affective est essentielle. Dans certains établissements de petites villes, la restauration scolaire peut être une expérience gastronomique enrichissante pour la seule raison qu'elle est « incarnée » par une cantinière ou un chef de cuisine qui prépare lui-même les plats servis à la cantine. La découverte de goûts nouveaux à l'extérieur de la maison est nécessaire et bénéfique. Il n'en reste pas moins que le référentiel de goût de l'enfant, le dictionnaire des saveurs, lui, se constitue en famille.

La transmission nutritionnelle se rapporte à des habitudes alimentaires, un art de vivre, un savoir-faire culinaire, un goût, une culture, à toutes les choses qui transparaissent dans le contenu des plats posés sur une table et signent l'appartenance à une famille, à une « lignée ». La façon de se nourrir est constitutive de ce qu'on est, de ce qu'on aspire à devenir et de ce que l'on souhaite transmettre à ses enfants, avec la certitude qu'ainsi, ils se nourriront sainement.

Mon expérience de médecin nutritionniste me permet d'affirmer que cette certitude est fondée. Trente ans d'observation attentive m'ont appris que, lorsque les parents se préoccupent de l'alimentation de leurs enfants, le plus souvent, les enfants apprennent à se nourrir correctement et sainement. Quel que soit le type de spécialités culinaires servies à la table familiale, tout naturellement, ils en retireront des connaissances : ils sauront comment et dans quelle quantité utiliser chaque aliment, comment les marier les uns avec les autres. Pour transmettre ce savoir, il faut se faire confiance, n'écouter que soi plutôt que les on-dit, les credo à la mode ou le dernier qui a parlé.

Une transmission de cette nature suppose une structure familiale solide, c'est-à-dire des règles de conduite, des heures de repas, des parents qui assument leur rôle de parents et expriment leur autorité sans honte

L'apprentissage des us et coutumes de la table relève de l'autorité parentale. Et ces règles sont un socle essentiel pour l'édification de l'équilibre alimentaire d'un enfant. Je dirais même qu'ils sont un rempart contre les troubles du comportement alimentaire.

Or depuis quelques décennies, l'autorité est devenue un gros mot. Quelle erreur ! Une bonne partie des problèmes nutritionnels soulevés dans mon cabinet proviennent de dysfonctionnements de l'autorité parentale et non de problèmes médicaux ou génétiques. Mon action vise aussi à aider à son rétablissement.

J'espère que ce livre a pu vous apporter quelques conseils, quelques idées et surtout renforcer vos convictions personnelles. Faites-vous confiance. Reprenez vos droits de parents. Votre méthode sera la bonne. Cessons d'aller chercher ailleurs des réponses qui se trouvent chez nous, autour de la table familiale. Alors pas de discussion : les enfants, à table !

Nous remercions la Fondation Nestlé France de nous avoir autorisés à utiliser le nom de son opération phare « Les enfants à table » pour le titre de ce livre.

Table des matières

Imprimé par CPI Firmin-Didot
N° d'édition : L.01ELKN000264.N001 – N° d'impression : 113636
Dépôt légal : septembre 2012
Imprimé en France